D0811327

DE WAANZINNIGE TANDARTS

Andere boeken van David Walliams bij Clavis

Broodje rat

Oma Boef

Joe Biljoen

Mr. Stink

Voor mijn roos, my tightly folded bud …

David Walliams
De waanzinnige tandarts

Tweede druk 2015

Clavis Uitgeverij, Hasselt – Amsterdam – New York
Omslagontwerp: Studio Clavis
Illustraties: Tony Ross
Vertaling uit het Engels: Roger Vanbrabant
Oorspronkelijke titel: Demon Dentist
Oorspronkelijke uitgever: HarperCollins Children's Books,
een afdeling van HarperCollins Publishers Ltd, Londen
Trefw.: humor, spanning, familie, heks
NUR 282
ISBN 978 90 448 2333 2
D/2014/4124/164

www.clavisbooks.com

David Walliams

DE WAANZINNIGE TANDARTS

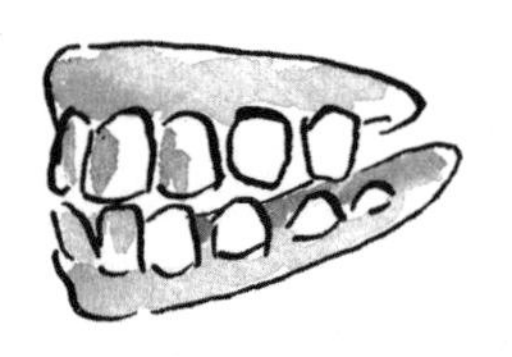

met illustraties van Tony Ross
vertaald door Roger Vanbrabant

Dankwoord

Een paar heel belangbezitterige* dankuitingen*.

Eerstelijks* de onovertrefzame* Tony Ross, die mijn woorden weer eens verlevendigd heeft met formidastische* illustrekeningen*.

Dankuiting* ook voor het hoofd van de afdeling Jeugd van HarperCollins, Ann-Janine Murtagh, voor haar geloofhechting* aan mij en mijn boekverhalen*.

Ook uitgever Ruth Alltimes moet ik zeker verdankwoorden* voor haar zorgvervulde* uitgeversbekwaamheid*.

Voor Kate Clarke en Elorine Grant een welgemeende dankuiting* voor hun ongeloofwekkelijke* omslag en vormgavekunst*.

De uitgeverigheid* van dit boekverhaal* werd verzorgzaamd* door Sam White en Geraldine Stroud, waarvoor eveneens een dankuiting*, heerdame*.

Dankuwels* ook voor bureauredacteur Lily Morgan.

Tenslottelijks* ook nog een reusachtiglijk* woord van mercizegging* voor mijn agent Paul Stevens. Je bent de allergoedste*.

*** WAARSCHUWING!**

Een heleboel verzonnen woorden en zinnen.

OPGEPAST.
DIT IS EEN
GRIEZELVERHAAL.

MET EEN HELEBOEL
VERZONNEN WOORDEN.

Wat voorafging ...

De stad lag in duisternis gehuld. Er gebeurden vreemde dingen in de nachtelijke stilte. Voordat ze gingen slapen, legden kinderen een tand onder hun hoofdkussen en ze hoopten vurig dat de tandenfee er een geldstukje zou achterlaten. Maar als ze de volgende ochtend wakker werden, vonden ze er iets afschuwelijks. Een dode slak. Een levende spin. Honderden en honderden oorwurmen, die onder hun hoofdkussen rondkropen en wriemelden. Of nog ergere dingen. Veel ergere dingen.

In het holst van de nacht was er iemand of iets hun kamer in geslopen, had hij of zij of het de tand weggegrist en een gruwelijk visitekaartje achtergelaten.

Het Kwaad was aan het werk.

Maar wie of wat zat daarachter?

Hoe kon iemand ongemerkt in de slaapkamer van de kinderen komen?

En wat was die van plan met al die tanden...?

Maak kennis met de personages van dit boek:

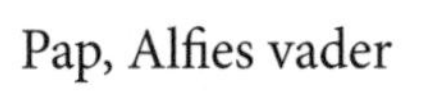

Pap, Alfies vader

Alfie, een jongen
met rotte tanden

Juffrouw Wortel,
een tandarts

Gabz,
een klein meisje

Hoektand, haar kat

Winnie,
een maatschappelijk werkster

Juffrouw Haas,
een lerares wetenschappen

Raj,
een krantenverkoper

Agent Oen,
een politieman

De sms-jongen, een jongen
die nooit ophoudt
met sms'en

Meneer Grijs,
een schooldirecteur

Meneer Snood,
een leraar toneel

Mevrouw Morrissey,
een oude vrouw

1

Gewoon maar wat tandpijn

Alfie had een hekel aan naar de tandarts gaan. Zijn tanden waren dan ook bijna allemaal geel. En de paar die niet geel waren, waren bruin. Ze droegen de sporen van al het lekkers waar kinderen gek op zijn, maar dat tandartsen haten. Snoepjes, priklimonade, chocolade. De tanden die niet geel of bruin waren, waren er gewoon niet meer. Ze waren uitgevallen. Eentje had in een karamel gebeten en was daarin blijven zitten. Andere waren ten prooi gevallen aan allerlei snoepjes met fruitsmaken.

Zo zag Alfie eruit als hij glimlachte …

Dat kwam doordat de twaalfjarige jongen al niet meer naar de tandarts geweest was sinds hij nog heel klein was.

Hij was toen ongeveer zes. Hij had gewoon wat tandpijn, maar het werd een ramp. De tandarts was een hoogbejaarde man, meneer Voormalig. Hij had de beste bedoelingen, maar had al heel lang met pen-

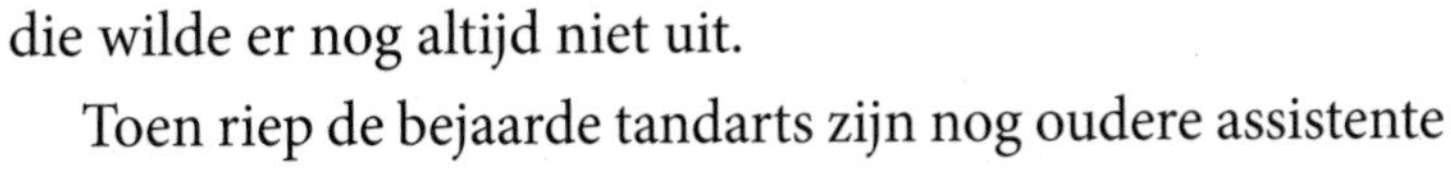

sioen moeten zijn. Hij zag eruit als een schildpad, een oude schildpad. Zijn brillenglazen waren zo dik dat zijn ogen wel tennisballen leken. Hij vertelde Alfie dat zijn tand rot was, dat hij hem niet meer zou kunnen vullen en hem dus zou moeten trekken.

De tandarts sjorde en sjorde en sjorde met zijn reusachtige stalen tang. Maar de tand kwam niet los. Meneer Voormalig zette zelfs zijn voet naast Alfies hoofd op de stoel om zich erop te kunnen afduwen en de arme tand te trekken. Maar die wilde er nog altijd niet uit.

Toen riep de bejaarde tandarts zijn nog oudere assistente

erbij. Juffrouw Pedant moest hem vasthouden en trekken zo hard als ze kon. Maar zelfs toen wilde de tand niet loskomen.

Even later moest de receptioniste, juffrouw Filet, naar de behandelkamer komen om te helpen. Ze woog vast meer dan meneer Voormalig en juffrouw Pedant samen. Maar zelfs met haar volle gewicht erbij kwam de tand er niet uit.

Maar ineens kreeg de tandarts een idee. Hij verzocht juffrouw Pedant wat uitzonderlijk dikke tandzijde te gaan halen. Die wond hij zorgvuldig om de tang en vervolgens om het omvangrijke lichaam van juffrouw Filet. Daarna zei hij tegen zijn mollige receptioniste dat hij tot drie zou tellen en dat ze bij drie uit het raam moest springen. Maar zelfs toen haar kolossale gewicht aan

Alfies tand rukte, wilde die er nog altijd niet uit.

Terwijl de arme jongen nog doodsbang op de stoel lag, liep meneer Voormalig naar zijn wachtkamer en vroeg daar om versterking. Alle patiënten die op hun beurt zaten te wachten, werden opgeroepen om hem te komen bijstaan. Jong en oud, dik en dun, de bejaarde tandarts kon alle hulp gebruiken.

Maar zelfs toen die menselijke ketting van sjorders* aan de tand trok, bleef die muurvast zitten waar hij zat.

Ondertussen was de arme kleine Alfie echt wanhopig ge-

* Waarschuwing! Verzonnen woord.

worden. De pijn die hij leed door al dat sjorren aan zijn tand was honderd keer erger dan de tandpijn waarmee hij binnengekomen was. Maar meneer Voormalig wilde koste wat kost zijn werk afmaken. Hij zweette als een otter en omdat hij ook bijna versmachtte van de dorst, dronk hij een fikse slok van de spoeldrank. En daarna pakte hij de tang beet, zo stevig als hij kon.

En uiteindelijk, nadat het sjorren en rukken dagenlang had lijken te duren – wekenlang, maandenlang zelfs – hoorde Alfie een oorverdovende

KKKKKRRRRR
RRRRRRRRRRRR
RRRRRRRAAAA
AAAAAAAAAAA
AAAAAAAAAAAAAAAA
A A K K K K K K K K K K K K K K
KK!!!!!!!!!!!!!!!!!!!!!!!!!!!

De tandarts had zo hard geknepen dat hij de tand verbrijzeld had. Die vloog in duizenden kleine stukjes door Alfies mond.

Nu de ellende eindelijk achter de rug was, lagen meneer Voormalig en al zijn helpers in een wirwar door elkaar op de vloer van de behandelkamer.

'Goed gewerkt iedereen!' riep de tandarts toen zijn assistente, juffrouw Pedant, hem overeind hielp. 'Die tand was echt een vuil stukje vreten!'

Maar op dat moment drong er iets tot Alfie door. Hij had nog altijd tandpijn.

De tandarts had de verkeerde tand getrokken!

2

Geloven

Zo snel als zijn beentjes hem wilden dragen, rende Alfie de behandelkamer van de tandarts uit. En die rampzalige middag zwoer hij een dure eed: nooit ofte nimmer zou hij nog naar een tandarts gaan. En hij had dat ook nooit meer gedaan. Er waren afspraken gemaakt en er waren afspraken afgezegd. Alfie had ze allemaal gemist. In de loop van de jaren had hij een hele zak brieven van de tandarts ontvangen, maar hij had die allemaal onderschept voordat zijn vader ze kon lezen.

Het was een eenoudergezin. Alleen Alfie en zijn vader. De moeder van de jongen was overleden toen hij geboren werd. Hij had haar dus niet gekend. Soms voelde hij zich triest, alsof hij zijn moeder miste. Maar dan zei hij tegen zichzelf dat hij iemand die hij nooit ontmoet had toch niet kon missen.

Om de brieven van de tandarts te verstoppen, sleurde hij stilletjes een voetbankje over de keukenvloer. Hij was klein voor zijn leeftijd. Eigenlijk was hij het op één na kleinste kind op school. Zelfs op het bankje moest hij nog op zijn tenen staan om bij de bovenkant van de provisiekast te kunnen, waar hij de brieven verstopte. Er lagen misschien al wel honderden brieven op die kast, maar hij wist dat zijn vader er niet

bij kon. Dat kwam doordat hij al jaren ziek was en nu zelfs in een rolstoel zat.

Voor hij ziek was geworden, was hij mijnwerker geweest. Een grote, stevige beer van een man, die graag in de mijn ging werken om voor zijn geliefde zoontje te kunnen zorgen. Maar al die jaren in de mijn eisten een zware tol van zijn longen. Hij was een trotse man en jarenlang verzweeg hij dat hij ziek was. Hij werkte zelfs nog harder en haalde steeds meer steenkool op. Soms draaide hij extra diensten om de eindjes aan elkaar te kunnen knopen. Ondertussen kon hij almaar slechter ademen en op een middag zakte hij in elkaar op de werkvloer. Toen hij eindelijk bijkwam in het ziekenhuis, zeiden de dokters dat hij nooit meer in een mijn mocht gaan werken. Als hij nog één keer kolenstof inademde, kon het met hem afgelopen zijn. En de volgende jaren ging zijn ademhaling er nog verder op achteruit. Een andere baan zoeken werd onmogelijk en zelfs de eenvoudigste dagelijkse dingen – zoals zijn schoenveters strikken – vielen hem zwaar. Het duurde dan ook niet lang meer voordat hij in een rolstoel zat.

Alfie had geen moeder, geen broers en geen zussen, dus hij moest helemaal alleen voor zijn vader zorgen. De jongen moest niet alleen naar school gaan en zijn huiswerk maken, hij moest ook alle boodschappen doen, het huis aan kant houden, elke dag koken en de vaat doen. Maar niemand hoorde hem ooit klagen. Hij hield zielsveel van zijn vader.

Paps lichaam was wel versleten, maar zijn geest was dat niet. Hij kon bijvoorbeeld erg goed verhalen vertellen. 'Luister, pup ...' begon hij dan altijd.

Zo noemde hij zijn zoontje vaak en Alfie vond dat leuk. Het woord riep bij hem het beeld op van een grote, knuffelige hond en een kleine puppy die dicht tegen elkaar aan lagen. Dan voelde hij zich heel veilig en kreeg hij vanbinnen een warm gevoel.

'Luister, pup,' zei pap dus soms. 'Je hoeft alleen maar je ogen te sluiten en te geloven ...'

In hun kleine huis nam hij Alfie mee voor allerlei spannende avonturen. Ze vlogen door de lucht op magische tapijten, gingen diepzeeduiken en dreven zelfs staken in het hart van vampiers.

Zo leidden ze samen een kleurrijk bestaan, wel een miljoen kilometer verwijderd van hun eigen kleurloze leventje.

'Neem me nog een keer mee naar het spookhuis, pap!' smeekte de jongen soms.

'Vandaag gaan we misschien naar het spookkasteel, mijn pup!' plaagde pap hem dan weleens.

'Alsjeblieft, alsjeblieft, alsjeblieft ...' zei Alfie.

Dan sloten ze hun ogen en kwamen ze elkaar tegen in hun dagdroom. Waar ze van alles samen deden:

- Ze gingen een dag vissen in Schotland en vingen het monster van Loch Ness.
- Ze beklommen de Himalaya en kwamen oog in oog te staan met de Verschrikkelijke Sneeuwman.
- Ze versloegen een reusachtige vuurspuwende draak.
- Ze verstopten zich op een piratenschip en werden als verstekelingen de voeten gespoeld, maar werden gered door lieflijke zeemeerminnen.
- Ze wreven over een toverlamp en er verscheen een geest. Ze mochten elk drie wensen doen, maar pap schonk zijn wensen aan zijn zoontje.
- Ze reden op de rug van Pegasus, het gevleugelde paard uit de Griekse mythologie.

- Ze belandden op het eiland van de cyclopen. Daar zag zo'n vraatzuchtige eenogige reus een schriel twaalfjarig jongetje wel zitten als tussendoortje, dus pap moest Alfie redden.
- Ze waren de eerste vader en zoon die met succes op de maan landden met een zelfgemaakte raket.

- Ze werden 's nachts tussen mistige moerassen achternagezeten door een woeste weerwolf.

Dat was de fantasiewereld waarin ze leefden. Echt alles was mogelijk in de avonturen die ze daar verzonnen. En niets kon hen tegenhouden. Helemaal niets.

Maar hoe ouder Alfie werd, hoe moeilijker hij het kreeg om dat allemaal ook echt te zien. Terwijl pap vertelde, deed de jongen zijn ogen soms open en dan dwaalden zijn gedachten af. Hij wenste dan dat hij de hele avond computerspelletjes kon spelen, zoals de andere kinderen van zijn nieuwe grote school.

'Pup, sluit gewoon je ogen en geloof ...' zei pap dan.

Maar Alfie was nu al twaalf, bijna dertien jaar, en hij begon te denken dat hij al te oud was om nog in magie en fabeltjes en fantastische wezens te geloven.

Maar al snel zou het hem duidelijk worden dat hij zich heel erg vergiste.

3

Witter dan wit

De hele basisschool was verzameld in de hal. De paar honderd kinderen zaten op rijen stoelen te wachten op de gastspreker. Eigenlijk kwam er nooit eens iemand die iets interessants te vertellen had. Bij de prijsuitreiking was de eregast de man geweest die karton voor cornflakespakken maakte. De toespraak van die cornflakeskartonman* was zo slaapverwekkend geweest dat hij zelf ingedommeld was terwijl hij sprak.

Vandaag zou de nieuwe tandarts komen spreken. Over hoe je je tanden moet verzorgen. Geen echt opwindend onderwerp dus. Maar ze zouden daardoor tenminste een tijdje uit de klas zijn, bedacht Alfie. Omdat hij niet van tandartsen hield, ging hij op de allerlaatste rij zitten in zijn verfomfaaide schooluniform. Zijn hemd was ooit wit geweest, maar was al lang grijs. Zijn trui zat vol gaten. Zijn blazer was op verschillende plaatsen gescheurd. Zijn broek was te kort voor hem. Maar pap had gezegd dat hij trots moest zijn op zijn uniform en zijn das was altijd perfect geknoopt. Naast Alfie had de enige leerling die nog kleiner was dan hij zich laten neerploffen. Een erg klein meisje dat Gabz heette. Ze leek opvallend schuchter. Niemand had haar ooit iets horen zeggen, al zat ze nu al een heel trimester bij hen op school. Meestal

* Waarschuwing! Verzonnen woord.

verstopte ze haar gezicht achter een gordijn van dreadlocks en keek ze niemand recht aan.

Toen alle kinderen eindelijk opgehouden waren met de aap uit te hangen en waren gaan zitten, beklom meneer Grijs, de directeur, het podium. Mocht er ooit een prijs uitgeloofd worden voor de man die het minst geschikt was om directeur te worden, dan zou meneer Grijs die zeker winnen. Hij was bang voor kinderen, was bang voor leerkrachten, was zelfs bang voor zijn eigen spiegelbeeld. Zijn beroep paste niet bij hem, maar zijn familienaam heel zeker wel. Zijn schoenen, zijn sokken, zijn broek, zijn broekriem, zijn hemd, zijn das, zijn jasje, zijn haar, zelfs zijn ogen, alles was grijs, in verschillende tinten.

Bij meneer Grijs kon je het hele gamma van grijstinten doorlopen:

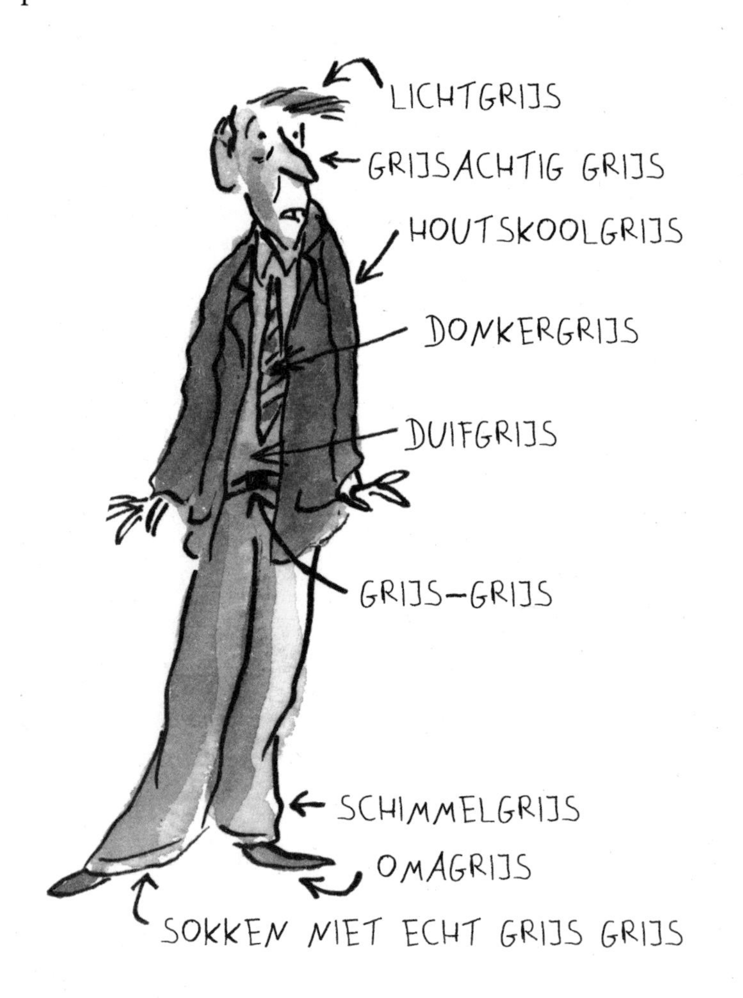

‘K-k-k-komaan, g-g-ga z-z-z-zitten ...’

Meneer Grijs stotterde als hij nerveus was.

En niets maakte hem nerveuzer dan voor de hele school te moeten spreken. Er werd zelfs verteld dat toen de schoolinspecteurs op een dag op bezoek gekomen waren ze hem onder zijn bureau aangetroffen hadden, waar hij gedaan had alsof hij een voetbankje was.

‘Ik z-z-z-zei, g-g-ga z-z-z-zitten ...’

Het geroezemoes van de kinderen nam nog toe.

Maar ineens sprong Gabz boven op haar stoel.

‘LAAT DIE OUDE KLUNS TOCH SPREKEN!!!’

schreeuwde ze zo hard als ze kon.

Haar woordkeuze was niet echt vleiend, maar er verscheen toch een flauw glimlachje om de mond van de directeur toen alle kinderen eindelijk stil waren. Iedereen keek naar Gabz toen ze weer ging zitten. Door haar uitbarsting leek ze ineens omgeven door een waas van heldhaftigheid.

'Goed ...' vervolgde meneer Grijs met zijn grijze, eentonige stem. 'Dank je wel, Gabriella ... Vandaag bieden we jullie iets heel bijzonders aan. Een uiteenzetting over hoe je je tanden moet verzorgen. V-v-verwelkom onze aardige nieuwe tandarts nu maar met een g-g-geweldig applaus. Juffrouw W-W-Wortel ...'

Terwijl hij zich uit de voeten maakte, klonk er heel even applaus. Maar dat werd haast meteen gedempt door een onaangenaam schril geluid achteraan in de hal. Een dame duwde een blinkend metalen rolwagentje door het gangpad. Een van de wielen bleef haken in de houten vloer en het schrille geluid drong zo schel door het hoofd van de kinderen dat sommigen hun vingers in hun oren stopten. Het klonk alsof er iemand met zijn vingernagels over een schoolbord kraste.

Het eerste wat aan juffrouw Wortel opviel, waren haar tanden. Die waren witter dan wit. Als ze glimlachte, werd je er duizelig van. Ze leken lichtgevend. Haar tanden waren volkomen gaaf. Zo gaaf dat ze onmogelijk echt konden zijn.

Het tweede wat je aan juffrouw Wortel onmiddellijk opviel, was dat ze onvoorstelbaar groot was. Haar benen waren zo lang en dun dat het leek alsof ze op stelten liep. Ze droeg een wit laboratoriumjas, zo eentje als een leraar scheikunde aantrekt om een proef te doen. En onder dat schort droeg ze een witte blouse en een lange, witte, losse rok.

Toen ze langs Alfie liep, zag de jongen een rood spatje op de tip van een van haar glanzend witte schoenen met hoge hakken.

Is dat bloed? dacht hij.

Het haar van juffrouw Wortel was witblond en haar perfect gelakte kapsel deed je aan dat van een koningin of een minister-president denken. Het had de vorm van een ijsje met slagroom.

Als het licht vanuit een bepaalde richting op haar gezicht scheen, zag ze er erg oud uit.

Ze had een smal, schraal gezicht en haar huid was zo wit als sneeuw. Maar ze had er ijverig zo veel make-up op gesmeerd dat je onmogelijk kon zeggen hoe oud ze eigenlijk was.

50?

90?

900?

Uiteindelijk kwam juffrouw Wortel dan toch vooraan in de hal. Ze draaide zich om en glimlachte. De lage winterzon scheen door de hoge ramen en weerkaatste zo fel op haar tanden dat de voorste rijen kinderen een hand voor hun ogen sloegen.

'Goedemorgen, kinderen!' zei ze stralend. Ze sprak eentonig zangerig, alsof ze een wiegeliedje zong. Er steeg gegrom

op onder de kinderen, want ze wilden niet als peuters aangesproken worden.

'Ik zei "Goedemorgen, kinderen" ...!' herhaalde de tandarts en ze staarde hevig de hal in. Zo hevig dat het doodstil werd.

'Goedemorgen,' zeiden alle kinderen toen tegelijk.

'Ik zal me even voorstellen. Ik ben jullie nieuwe tandarts. Ik heet juffrouw Wortel, maar al mijn kleine patiëntjes, zoals jullie, mogen me mammie noemen.'

Alfie en Gabz keken elkaar ongelovig aan.

'Mag ik dan nu heel hard "Hallo, mammie!" horen? Ik tel tot drie! Eén, twee, drie ...'

Juffrouw Wortel vormde de woorden geluidloos met haar lippen en de kinderen volgden haar voorbeeld.

'Hallo, mammie,' mompelden ze.

'Uitstekend! Ik ben naar deze stad gekomen omdat meneer Voormalig iets erg ongelukkigs, ik mag wel zeggen iets fataals, overkomen is. De arme stakker is waarschijnlijk in een van zijn eigen instrumenten gevallen. O, ironie! Ik zal jullie alle bloederige details maar niet vertellen. Ik wil alleen maar zeggen dat meneer Voormalig, toen hij op de vloer van zijn behandelkamer gevonden werd, in een grote plas bloed lag. De tandsonde stak diep in zijn hart ...'

Het werd oorverdovend stil in de hal. Alfie snakte naar adem. Hij zag het afschuwelijke beeld voor zich. Meneer Voormalig was wel oud en beverig geweest, maar kon hij zichzelf per ongeluk in zijn hart gestoken hebben?

'Mammie wil nu dat jullie allemaal een minuut heel stil zijn voor meneer Voormalig. Sluit je ogen, kinderen. Allemaal. En niet gluren!'

Alfie vertrouwde juffrouw Wortel niet genoeg om zijn ogen te sluiten. En Gabz ook niet. Ze knepen hun ogen tot spleetjes en gluurden door hun wimpers. Door het smalle spleetje tussen zijn oogleden zag Alfie iets vreemds. In plaats van vooraan te blijven staan met haar ogen dicht liep juffrouw Wortel op de toppen van haar tenen door de klas en keek ze gespannen naar de tanden van de kinderen. Toen ze

uiteindelijk bij de achterste rij kwam, kneep de jongen zijn ogen heel goed dicht, want hij was bang om problemen te krijgen.

Juffrouw Wortel keek vast aandachtig naar zijn rotte tanden, want hij voelde heel even haar koele adem op zijn gezicht voordat ze opnieuw naar voren trippelde.

'Onze minuut is voorbij!' kondigde ze aan. 'Dank je wel, kinderen. Doe jullie ogen maar weer open.'

Alfie en Gabz keken elkaar opnieuw aan. Zij waren de enigen die wisten hoe vreemd juffrouw Wortel zich gedragen had …

4

Zwarter dan zwart

'We zullen meneer Voormalig natuurlijk heel erg missen,' zei juffrouw Wortel. 'Maar als jullie nieuwe tandarts heb ik jullie vriendelijke directeur gevraagd vandaag hierheen te mogen komen. Mammie wilde jullie allemaal de kans geven om kennis met me te maken. Want ik wil jullie allemaal persoonlijk welkom heten in mijn behandelkamer. Ik ga mijn praatje van vandaag beginnen met een heel gemakkelijk vraagje. Wie van jullie heeft een hekel aan naar de tandarts gaan?'

Op één na staken alle kinderen hun hand op. Niemand ging graag naar de tandarts. Zelfs niet als het echt niet anders kon. Die ene jongen die zijn hand niet opstak, was te druk aan het sms'en.

Alfie stak zijn hand zo hoog als hij kon in de lucht.

'O! Zo veel handen! Hahaha!' Ze lachte wel, maar het klonk niet alsof ze het grappig vond. 'En wie van jullie heeft een **HELE, HELE, HELE** grote hekel aan de tandarts?' vroeg ze met haar zangerige stem.

De meeste handen bleven in de lucht. Alfie stond zelfs op van zijn stoel om zijn hand het hoogst van allemaal te kunnen steken. Als iemand echt, heel echt, heel heel echt een hekel had aan naar de tandarts gaan, dan was hij het. Nadat meneer Voormalig een verkeerde tand getrokken had, was er in het hele universum niemand meer te vinden die een grotere hekel aan tandartsen had dan Alfie.

'Ho, ho, ho!' zei juffrouw Wortel.

'Ho, ho, ho?' fluisterde Alfie tegen Gabz. 'Wie op de hele wereld zegt nu zoiets?'

'Echt maf!' antwoordde het meisje.

'Weet je, mammie is hier vandaag om jullie te vertellen dat er helemaal niets is om bang voor te zijn ...' De woorden dansten door de lucht terwijl ze ze uitsprak. Misschien sprak ze zo zangerig om de kinderen gerust te stellen, maar dat lukte niet. Haar stem klonk helemaal niet geruststellend. Integendeel, ze klonk echt ongeruststellend*.

'Ik heb een vrijwilliger nodig!' zei de tandarts. 'Handen omhoog!'

Alle handjes die de kinderen opgestoken hadden, zakten nu heel diep weg. Om elk misverstand te voorkomen liet Alfie zijn handen zelfs tot op de vloer zakken. Lager kon niet, want dan zouden ze onder de grond verdwijnen. Hij wilde nog minder dan nul procent kans hebben om als vrijwilliger aangewezen te worden.

'Niemand ...?' vroeg juffrouw Wortel.

Zelfs de uitslovers en de opscheppers bleven doodstil.

'Kom op, kinderen! Ik bijt niet!' De tandarts glimlachte

* Waarschuwing! Verzonnen woord.

en liet haar verblindend witte tanden schitteren. 'Wie is al heel erg lang niet meer naar de tandarts geweest?' vroeg ze poeslief.

De leerlingen begonnen tegen elkaar te fluisteren en keken in het rond. En even later staarden honderden ogen naar Alfie. Iedereen had zijn tanden al wel een keer gezien. Die zagen er zo slecht uit dat ze best een toeristische attractie hadden kunnen zijn. Er had zelfs een café en een cadeauwinkeltje naar ze genoemd kunnen worden.

De tandarts volgde de blikken van de kinderen en haar ogen bleven op Alfie rusten. 'O ja, ik dacht al dat jij het zou zijn ...' Met een lange, dunne, knokige vinger wees ze naar

Alfie. 'Kom maar bij mammie, jongen ...'

Terwijl Alfie op wankele benen naar voren strompelde, keek hij de tandarts voor het eerst echt aan. De ogen van juffrouw Wortel waren zwart.

Zwarter dan roet. Zwarter dan steenkool. Zwarter dan het zwartste zwart.

Kortom, ze waren zwart.

De tandarts staarde lang en hard naar Alfie voordat ze iets zei.

'Wees maar niet bang, jongen ...'

Nergens kun je iemand banger mee maken dan met te zeggen dat hij niet bang hoeft te zijn.

'Laat mammie maar eens even naar je tanden kijken ...'

Alfie hield zijn mond stevig dicht.

'Wijd opendoen, grote jongen ...'

Ineens voelde Alfie zich alsof hij niet anders kon dan doen wat de tandarts zei. Hij deed zijn mond wijd open en ze keek erin.

'Ooo ...' kreunde ze verrukt. 'Je tanden zijn echt afschuwelijk ...'

De hele hal begon te lachen.

'HA HA HA HA HA HA
HA HA HA HA HA HA
HA HA HA HA HA HA
HA HA HA HA HA HA
HA HA HA HA HA HA
HA HA HA HA HA HA
HA HA HA HA HA HA
HA HA HA HA HA HA
HA HA HA HA HA HA
HA HA HA HA HA HA
HA HA HA!!!!'

Twee kinderen lachten niet. Gabz keek triest naar het wrede gelach. En de sms-jongen was nog altijd met zijn berichtjes in de weer en had alles gemist wat er gebeurd was.

'Lieve hemel, lieve hemel!' zei de tandarts. 'Hoe heet jij, jongen?'

'Alfie, j-j-juf ...' stamelde de jongen.

'Noem me mammie ...'

Nooit of nooit zou Alfie iemand zo noemen. En heel zeker haar niet.

'Alfie hoe?' vroeg juf Wortel.

'Alfie Griffith.'

'Nou, kleine Alfie Griffith, jij moet gewoon heel dringend een afspraak maken om naar mijn behandelkamer te komen ...'

Alfie huiverde al als hij eraan dacht. Hij had gezworen zijn hele leven nooit meer in de buurt van een tandarts te komen.

'Krijg je graag cadeautjes, jongen ...?'

Net als alle kinderen kreeg Alfie heel graag cadeautjes.

'J-j-ja ...' antwoordde hij.

'Nou, mammie heeft een cadeautje voor je. Omdat je vandaag zo'n grote jongen geweest bent, krijg je een tube tandpasta van mijn eigen uitstekende merk ...' Juffrouw Wortel pakte een dikke, witte tube van het rolwagentje. Op de zijkant ervan stond in vette rode letters MAMMIE.

En in kleinere, zwarte letters stond daar *Mammie zorgt voor je tanden* onder.

‘En ook eentje van mijn bijzondere tandenborstels. Heb je liever harde of zachte haartjes, Alfie Griffith ...?’

De jongen had al zijn hele leven dezelfde tandenborstel. Hij had geen idee of die hard of zacht geweest was. Er was nog maar één eenzaam haartje overgebleven. De borstel was dus zo goed als onbehaartjesloos*.

‘Het maakt niet uit ...’

‘Dan zal ik je een fijne zachte geven ...’ zei juffrouw Wortel.

Ze nam een glanzend witte MAMMIE-tandenborstel van het rolwagentje. De haartjes waren scherp en springerig. Alfie liet er een vinger over glijden en rilde. Het was alsof hij een stekelvarken streelde.

Met de borstel en de tube in zijn handen stond hij voor de klas als een kind dat op het punt staat te huilen. Alsof ie-

* Waarschuwing! Verzonnen woord.

mand hem van zijn angst voor spinnen af had willen helpen door hem een giftige tarantula in zijn handen te stoppen.

'We zien elkaar nog wel, Alfie ...'

Nee, hoor, zullen we niet! dacht de jongen.

'Zeker wel, hoor ...' fluisterde de tandarts, alsof ze zijn gedachten kon lezen ...

5

Bijzondere snoepjes

'Ga nu maar weer netjes op je plaats zitten, als een grote jongen!' zei juffrouw Wortel.

Alfie deed wat ze hem bevolen had. Met gebogen hoofd liep hij terug naar achteren. Hij wilde niemand aankijken, want hij was bang om nog meer vernederingen te moeten slikken.

'Zo, kinderen ...' vervolgde de tandarts. 'Wie wil er ook een cadeautje? Ik heb nog wat snoepjes ...'

Honderden handen schoten in de hoogte en de hele hal begon te gonzen van het geklets van de kinderen.

'Maar rotten je tanden niet als je snoept?' riep Gabz.

Juffrouw Wortel keek haar even boos aan, maar glimlachte toen toch. 'Jij bent me er eentje, hoor! Hoe heet jij, kind?'

Het meisje aarzelde even. 'Gabz,' zei ze ten slotte.

'Nou, kleine Gabriella heeft natuurlijk gelijk. Normaal rotten je tanden als je snoept. Maar niet door deze snoepjes. Nee! Mammies snoepjes zijn heel bijzonder! Er zit helemaal geen suiker in mijn snoepjes. Je mag er dus zo veel eten als je maar wilt ...' De tandarts trok een dienblad met een witte doek erover onder het rolwagentje vandaan. Ze rukte de doek weg en onthulde een heleboel snoepjes, in alle mogelijke kleuren. Chocolaatjes en chocolaatjes en nog meer chocolaatjes. Karamellen en toffees. Snoepjes om op te zuigen en snoepjes om op te kauwen. Met fruitsmaak en met muntsmaak. Snoepjes die gewoon smolten in je mond. Knapperige snoepjes. Bruisende snoepjes. Plofsnoepjes.

'Kom op, kinderen. Wees maar niet bang. Kom maar wat van mammies bijzondere snoepjes halen ...'

In een oogwenk drongen honderden kinderen naar voren en begonnen ze gretig handen vol snoepjes van het dienblad te grabbelen. En hoe meer de gulzige jongetjes en meisjes er wegpakten, hoe meer snoepjes erbij leken te komen.

Meer. En nog meer.

‘Neem er maar zo veel als je wilt!’ riep juffrouw Wortel boven het kabaal uit. ‘Ik kan er altijd nog meer toveren!’

Alfie zag dat Gabz stokstijf op haar stoel zat. ‘Wil jij er geen hebben?’ vroeg hij.

Gabz schudde haar hoofd. ‘Nee.’

‘Waarom niet?’

‘Heb je nooit het verhaal gehoord van een broer en een zus die naar een bos gaan en daar een huisje zien dat van snoep gemaakt is?’

Het verbaasde Alfie dat het kleine meisje zich zo liet meeslepen door haar verbeelding. ‘Hans en Grietje? Ja, natuurlijk, dat verhaal kent iedereen. Maar dat is gewoon een stom sprookje.’

Gabz draaide haar hoofd en staarde hem aan. ‘Het is niet stom,’ zei ze. ‘En dat het een sprookje is, betekent niet dat het nooit gebeurd is …’ Ze keek opnieuw naar de tandarts.

Die glimlachte haar onvoorstelbaar witte tanden bloot, terwijl de kinderen al hun zakken volpropten met snoepjes. Maar vreemd genoeg, hoeveel de kinderen ook wegnamen, meer en meer snoepjes overspoelden het dienblad.

Ondertussen zat één

jongen nog altijd als aan zijn stoel gelijmd. De sms-jongen. Hij was nog altijd berichtjes aan het tikken.

*

Toen Alfie die middag na school naar huis liep, wilde hij de cadeautjes die juffrouw Wortel hem gegeven had zo snel mogelijk kwijtraken. Hij vertrouwde die vrouw voor geen haar. Er was iets verontrustends aan haar verschijning. Die rode spat op haar schoen, de manier waarop ze door de klas geslopen was toen ze een minuut stil waren voor de dode tandarts en die suikervrije snoepjes die maar niet opraakten, hij vond het allemaal erg vreemd. Dus toen hij over de kanaalbrug liep, zoals hij altijd deed als hij naar of van school ging of kwam, bleef hij staan. Hij trok de tandenborstel en de tandpasta uit zijn blazer en keek naar het etiket met MAMMIE erop. Dat was toch een geruststellende naam. Hoe kon je nu geen vertrouwen hebben in iets wat 'MAMMIE' heette?

Hij schroefde het dopje van de tube. En onmiddellijk kwam er kleverige smurrie, zo geel als etter, als een slang uit de opening gekropen. Het rook ranzig, als warm braaksel. Een kleine klodder ervan viel op de grond. Het siste en bruiste en boorde een gat in de stenen brug, alsof het een brandend zuur was.

Wat zit er in die tandpasta? dacht Alfie. Toen merkte hij dat het goedje nog altijd uit de tube sijpelde. En het kwam gevaarlijk dicht bij zijn vingers. Een tikje ervan kwam op zijn huid terecht en hij voelde het meteen branden.

'Au!' schreeuwde hij.

Hij gooide de tube vlug in het kanaal. Die viel in het water en Alfie zag dat de smurrie er nog altijd uit kronkelde terwijl hij naar de bodem zonk. Plotseling stelde hij vast dat hij de tandenborstel nog in zijn andere hand had. De haartjes zagen eruit alsof ze je tanden weg zouden schrapen in plaats van ze te poetsen. Dus gooide hij de borstel ook maar in het kanaal.

Net toen Alfie een paar passen gezet had en verder naar huis wilde lopen, hoorde hij een vreemd geluid. Hij bleef staan en over zijn schouder zag hij dat het water van het kanaal kolkte en borrelde. Het leek wel een minivulkaan die uitbarstte. Geschokt zag de jongen dat er een hele school vissen uit het water sprong en bleef drijven. Terwijl hij daar zo stond te kijken, kwam er een snaterende groep kinderen van zijn school voorbij. Ze lachten en giechelden met hun mond vol MAMMIE-chocolade en toffees en fruitsnoepjes. Ze zagen er stuk voor stuk dolgelukkig uit nu ze gulzig konden kauwen en knabbelen en knagen.

Als haar tandpasta dit veroorzaakt, wat zit er dan in vredesnaam in haar bijzondere snoepjes? dacht Alfie.

6

Een indringster

'Jij moet Alfred zijn,' dreunde een stem toen Alfie de voordeur van hun kleine huis in de wijk aan de rand van de stad opende.

'Wie bent u?' vroeg Alfie. Hij was erg zorgzaam voor zijn vader en had er een hekel aan als er vreemden in hun huisje kwamen.

Een opzichtig geklede vrouw had zich in de huiskamer bij zijn vader laten neerploffen. Haar omvangrijke lichaam nam meer dan één plaats in op de versleten sofa.

De bonte, helemaal niet bij elkaar passende kleuren van haar kleren (gele sjaal, legging met roze strepen, groen topje en lichtblauw jasje van blinkend plastic) staken lelijk af tegen het grijs van het huiskamertje. Eigenlijk zouden ze overal lelijk mee gevloekt hebben.

Pap zat in zijn rolstoel in de hoek van de kamer waar hij altijd zat. Met een gerafelde deken met Schotse ruiten over zijn knieën, want het was koud in het huisje. De centrale verwarming was een paar winters geleden al afgesloten. Eerlijk gezegd stond hun huisje op instorten. Sinds pap in een rolstoel zat, was het helemaal vervallen. Alfie deed wat hij kon, maar als het regende, drong er water door het dak naar binnen. In de meeste ruiten waren barsten verschenen en de muren waren met schimmel overdekt tot tegen het plafond.

'Jongen, dit is ...' Pap hijgde even kort maar luid. '... Winnie. Ze is maatschappelijk werkster.'

'Wát is ze?' vroeg Alfie. Hij keek de indringster nog altijd nors aan.

'Maak je maar geen zorgen, jongeman, hahaha!' zei de dikke vrouw opgewekt. Ze schudde een kussen op en schikte het achter paps rug. 'Ik werd hierheen gestuurd door de gemeentelijke sociale dienst. Maatschappelijk werkers, zoals ik, willen je alleen maar helpen ...'

'We hebben uw hulp niet nodig, dank u wel,' zei Alfie. 'Ik zorg beter voor mijn vader dan iemand anders dat zou kunnen doen. Toch, pap?'

Pap glimlachte naar hem, maar zei niets.

'Daar twijfel ik niet aan!' antwoordde Winnie met een glimlach. 'Ik vind het trouwens leuk je te leren kennen, jongeman.' Ze stak een van haar mollige handen met worstvingers vol met juwelen naar hem uit.

Alfie keek er alleen maar naar.

'Geef haar een hand, zoon,' verzocht pap hem. 'Als een keurige jongen.'

Met tegenzin liet Alfie zijn hand die van de maatschappelijk werkster aanraken.

De vrouw greep zijn hand zo stevig vast en schudde ze zo krachtig dat de jongen bang was dat zijn arm uit de kom

gerukt zou worden. De veelkleurige plastic armbanden die haar polsen tooiden, rinkelden hard.

'Zo, Alfred, jongeman,' bulderde ze. 'Zou ik je om een kopje thee mogen vragen?'

'Ja, een kopje thee zou er wel in gaan,' zei pap. 'Dank je wel, jongen. Dan kunnen we even gaan zitten voor een goed gesprek.'

'Koffie kan ik niet drinken,' zei de maatschappelijk werkster. 'Die loopt gewoon dwars door me heen, hahaha!'

Alfie liep achteruit de woonkamer uit en bleef de indringster aanstaren. Vader en zoon dronken altijd een pot thee als Alfie van school kwam. Hij zette dan een dienblad met twee kopjes klaar. Zolang hij zich kon herinneren hadden er twee kopjes gestaan.

Als hij iets van zijn vader geleerd had, dan was het dat ze van de kleine genoegens van het leven moesten blijven genieten, hoe arm ze ook waren. Als Alfie de thee klaarzette, deed hij dan ook altijd erg zijn best om dat zo netjes mogelijk te doen. Terwijl het water kookte, nam hij een wat beschadigde theepot en zette hij die op het dienblad dat hij uit de cafetaria van de school gejat had. Dan pakte hij twee kopjes uit de keukenkast. Er waren maar twee kopjes, dus nu moest hij heel goed nadenken. Uiteindelijk vond hij een eierdopje en dat zette hij op het dienblad. Hij zou daar wel een slokje thee uit kunnen drinken. De melkkan was eigenlijk een juskom, die hij in een winkel van een liefdadigheidsinstelling op de kop getikt had. En ten slotte nam hij een gebarsten bordje en hij legde daar drie verkruimelende oude chocoladekoekjes op. De plaatselijke krantenverkoper had hem gratis zo'n pakje koekjes gegeven op een dag dat de jongen er erg hongerig uitzag.

Met een trotse glimlach op zijn gezicht kwam hij de huiskamer in met het dienblad. Voorzichtig plaatste hij het op de koffietafel. (Eigenlijk was dat gewoon een ondersteboven

gekeerde kartonnen doos, maar hij en pap noemden die de koffietafel.)

'Je vader heeft me al heel veel over je verteld, Alfred,' zei Winnie. Terwijl ze dat zei, vlogen er koekjeskruimels over Alfie heen en over het vloerkleed en zelfs tot tegen de gordijnen. Ze slurpte luidruchtig aan haar kopje en slikte de rest van haar koekje door met een grote slok thee. 'Aah!' zuchtte ze en ze smakte met haar felroze gestifte lippen. 'Dat is al beter. Ik kijk er zooooo erg naar uit je te leren ...'

Terwijl ze sprak, probeerde Alfie te glimlachen en nipte hij wat thee uit zijn eierdopje. Hij voelde zich een beetje een kleine reus. Winnie staarde naar de jongen. Ze schoof

over de sofa naar hem toe en haar grote, dikke gezicht kwam heel dicht bij dat van hem. Als de kop van een nijlpaard dat een heel klein vogeltje bekijkt dat net op zijn neus geland is. 'Lieve hemel! Wat een tanne!'

'Lieve hemel wát?' zei Alfie.

'Je tanne!'

'Mijn tanne?' vroeg Alfie verward.

'Ja, jongen ...' zei de maatschappelijk werkster teleurgesteld. **'JE TANNE!'**

'Ik denk dat Winnie je tanden bedoelt ...' zei pap voorzichtig.

'Ja, dat zei ik!' zei Winnie nog erger teleurgesteld.

‘TANNE! T-A-N-D-E-N! TANNE!!’

‘Oké, oké,’ zei Alfie. ‘Wat is er met mijn tanne … ik bedoel tanden?’ Hij kneep vlug zijn mond dicht om ze te verstoppen. Hij wist wel dat hij niet snel voor een tv-spot voor tandpasta gevraagd zou worden, maar ze waren toch nog niet allemaal uitgevallen. Nog niet.

‘Nee, nee, nee, zo gemakkelijk kom je er niet van af! Lieve hemel! Zo kom je er heel zeker niet van af! Ik ben je maatschappelijk werkster en het eerste wat ik voor je ga doen …’

‘Ja?’ De jongen hapte naar adem, want hij vermoedde wat er zou volgen.

‘… is een afspraak voor je maken bij de tandarts!’

7

Geheimen

Met een smekende blik verzocht Alfie zijn vader die vervelende vrouw de deur te wijzen. Onmiddellijk.

Maar pap keek naar haar, met zijn ogen tot spleetjes geknepen door de schreeuwerige kleuren. 'Ik vind dat een heel goed idee, Winnie,' zei hij. 'Ik wil niet dat er voor zijn dertiende verjaardag nog meer tanden uitvallen.'

'Hahaha!' lachte Winnie. 'Nee, hoor, dat willen we niet! Een bezoekje aan de tandarts en het komt voor elkaar!' Zonder iets te vragen nam ze nog een derde chocoladekoekje.

Het was het laatste koekje op het bordje. Er zat een tikkeltje schimmel op, maar Alfie had al minutenlang naar het koekje zitten loeren. Want het was alles wat hij die avond te eten zou hebben.

De vrouw schrokte het helemaal op en slurpte opnieuw oorverdovend van haar thee.

S S S S L L L L U U U U U U
UUUUUUUURRRRRRRR
RPPPPPPPP!!!

Ze smakte weer met haar lippen en zuchtte heel diep.

‘Aaaaaahhhhh!!!!!!’

Ze had dat slurpaah*-toneeltje nog maar twee keer voor Alfie opgevoerd, maar hij kon niet verbergen hoe vervelend hij het vond.

Pap verbrak de ongemakkelijke stilte. ‘Leuk om eens iemand op bezoek te hebben, hè, Alfie?’

De jongen zei niets.

Winnie slurpte en aahde** nog een keer. ‘Heb je nog meer van die lekkere koekjes, hahaha?’ Aan het eind van een zin lachte ze vaak ergerlijk, zoals opgewekte mensen dat doen.

‘Ja,’ zei pap. ‘Er moet er nog eentje in de trommel liggen, is het niet, Alfie?’

De jongen zat nog altijd zwijgend naar de veelkleurige kauwmachine te kijken.

‘Wel?’ drong pap aan. ‘Ga nog een koekje halen voor de vriendelijke dame.’

‘Nog eentje met chocolade, hahaha!’ voegde Winnie er stralend aan toe. ‘Ondeugend, ik weet het! Ik zou aan de lijn moeten doen! Maar ik ben gek op chocolaatjeskoekjes!’

Alfie stond langzaam op en sjokte naar de keuken. Hij wist dat er nog een chocoladekoekje in de trommel lag, maar dat had hij willen bewaren voor het avondeten van de volgende dag. Ieder de helft.

* Waarschuwing! Verzonnen woord.

** Waarschuwing! Verzonnen woord.

Voor de bekraste en bevlekte spiegel in de gang bleef hij even staan. Hij moest de dikke, van speeksel doordrongen stukjes koek die uit de mond van de maatschappelijk werkster gevlogen waren uit zijn haar plukken.

'U moet wel erg trots op hem zijn, meneer Griffel,' hoorde hij haar in de woonkamer zeggen.

'Het is Griffith ...'

'Dat zei ik. Griffel.'

'Griffith,' herhaalde pap.

'Ja!' zei de vrouw geprikkeld.

'G, R, I, F, F, I, T, H. Griffel!'

'Ja, eh ... natuurlijk ben ik erg trots op mijn pup,' hijgde pap. Met lange zinnen had hij het soms moeilijk.

'Je pup?'

'Ja, zo noem ik hem soms.'

'O!'

'Hij zorgt al jaren erg goed voor me. Zijn hele leven zorgt hij al voor me. Maar ...' Paps stem verzwakte nu bijna tot gefluister. 'Ik heb het hem niet verteld, maar vorige week ben ik gevallen toen hij op school was. Ik wilde hem niet ongerust maken.'

'Hm, ja. Dat kan ik begrijpen.'

Alfie schoof wat naar de deur toe en luisterde aandachtig naar wat de volwassenen zeiden.

'Ik werd kortademig en alles werd zwart voor mijn ogen.

Ik viel uit mijn rolstoel. Hard op de vloer van het toilet. Een ambulance bracht me naar het ziekenhuis. De dokters onderzochten me grondig ...'

'O ja?' Winnie klonk nu echt bezorgd.

'Nou, ze eh ...' Pap zocht naar de juiste woorden.

'Rustig maar, meneer Griffel.'

'De dokters zeiden dat mijn ademhaling almaar slechter wordt. En dat ik weldra ...'

'O nee!' snikte Winnie.

Alfie kon zijn vader horen huilen. Het was hartverscheurend.

'Hier, meneer Griffel, neem een zakdoekje ...' zei de maatschappelijk werkster zacht.

Alfie ademde heel diep in. Doordat hij zijn vader hoorde huilen, begon hij ook bijna te snikken. Maar de trotse man vocht tegen zijn tranen en snoof ze weg.

'Wij Griffiths zijn sterk. Altijd al geweest. Ik heb tweeëntwintig jaar beneden in die mijn gewerkt. Net als mijn vader en mijn grootvader. Maar nu ben ik erg ziek. En mijn arme kleine pup kan het allemaal niet alleen aan ...'

'Erg verstandig van u, meneer Griffel,' zei Winnie. 'Ik ben blij dat u eindelijk een beroep doet op onze dienst. Ik wou dat u dat al eerder gedaan had. Vergeet niet dat ik hier ben om u en uw zoon te helpen ...'

Alfie stond als aan de grond genageld. Zijn vader verzweeg slecht nieuws altijd voor hem. Dat ze steeds meer rekeningen niet konden betalen, dat de tv en de koelkast weggehaald zouden worden, dat zijn vader almaar moeilijker kon ademen. Alfie had het gevoel dat hij altijd de laatste was die het te weten kwam.

Maar al hielden ze erg veel van elkaar, toch waren er ook in Alfies leven heel wat hoofdstukken waar zijn vader niets van wist. De jongen had ook geheimen.

Dat de oudere jongens op school hem pestten omdat hij er volgens hen 'als een landloper bij liep'.

Dat hij een keer had moeten nablijven omdat hij zijn huiswerk niet gemaakt had. Hij had 's avonds het huisje moeten schoonmaken en had daardoor geen tijd gehad.

Dat de directeur hem een keer op 'spijbelen' betrapt had. Maar hij was toen te vroeg weggegaan omdat hij voor de winkels sloten nog gauw een nieuw wiel voor de rolstoel van zijn vader wilde gaan kopen.

Alfie vond dat zijn vader al genoeg aan zijn hoofd had zonder dat hij zich nog zorgen hoefde te maken over hem.

Maar nu hij het gesprek in de woonkamer hoorde, kon hij – hoe hard hij zijn best ook deed – zijn tranen niet bedwingen. Hij was ook een Griffith. Sterk en trots. Maar zijn tranen wonnen het van hem. Er rolden warme, zilte druppels over zijn wangen. Ondanks alles had hij altijd geloofd dat zijn vader op een dag wel weer beter zou worden. Maar nu drong de werkelijkheid tot hem door.

8

Tanne

'Alfie?' riep pap vanuit de woonkamer. 'Kom je nog met dat koekje voor onze nieuwe vriendin Winnie?'

Alfie haastte zich op de toppen van zijn tenen terug naar de keuken en begon daar te rommelen. Hij had iets gehoord wat niet voor zijn oren bestemd geweest was. En nu moest hij doen alsof hij het niet gehoord had.

'Ik zal eens gaan kijken waar hij blijft, meneer Griffel,' zei de vrouw.

'Tussen haakjes, het is Griffith, Winnie,' zei pap.

'Dat zei ik toch,' zei ze. 'Griffel.'

Ze denderde door de gang. Alfie wilde niet dat die vreemde vrouw hem zag huilen. Hij wilde niet dat iemand hem overstuur zag.

Doordat hij zonder moeder opgegroeid was, had hij meer verdriet meegemaakt dan de meeste andere kinderen. Daardoor had hij geleerd zijn gevoelens te verbergen. Ze ergens diep in zijn binnenste te begraven, waar niemand ze kon vinden. Zijn hart was een vesting.

Hij wiste zijn ogen snel droog met een mouw van zijn blazer en veegde de tranen weg die langs zijn neus naar beneden gelopen waren.

‘En, Alfred, jongeman, heb je nog een paar koekjes gevonden?’ vroeg Winnie.

De jongen stond met zijn rug naar haar toe en draaide zich niet om. Hij hoopte dat alle sporen van zijn tranen over een paar seconden verdwenen zouden zijn en dat zijn rode, vlekkerige gezicht er weer gewoon zou uitzien.

Winnie voelde dat er iets mis was. ‘Alfred? Alfred? Voel je je wel goed, jongeman?’

De jongen pakte snel de oude koekjestrommel uit de keukenkast. En nog altijd zonder haar aan te kijken duwde hij ze in haar handen. ‘Alstublieft! Eet de laatste ook maar op!’

Winnie schudde langzaam haar hoofd en ineens vielen haar ogen op de stapel brieven boven op de kast achter Alfie. ‘Wat zijn dat?’ vroeg ze.

‘Wat zijn wat?’ Alfie draaide zich om. Hij schrok heel erg toen hij zag dat ze de brieven van de tandarts bedoelde, die hij al een paar jaar voor zijn vader verstopte.

‘Dat is maar rommel,’ loog hij.

‘Als het toch maar rommel is, zal ik je helpen om het op te ruimen.’ Winnie was niet van gisteren. Ze pakte de brieven van de kast en voor Alfie iets kon zeggen, vlogen haar ogen over de papieren. In een oogwenk had ze zijn geheim onthuld.

‘Wie had dat gedacht!’ riep ze uit. ‘Het zijn brieven van de tandarts! Lieve hemel, Alfred, je bent er al jaren niet geweest! Ik weet best dat heel wat kinderen voor wie ik zorg bang zijn voor de tandarts, maar geloof me ...’

Alfie rukte de brieven uit haar hand.

'Hou op met uw neus te steken waar hij niet thuishoort!' blafte hij haar toe. 'Ik hou van mijn vader en ik zorg beter voor hem dan iemand anders dat zou kunnen. Beter dan u. Beter dan om het even wie. Waarom gaat u dan niet weg en komt u nooit meer terug? Laat ons toch gewoon met rust!'

Winnie keek hem aan en wachtte tot zijn withete woede wat zou afkoelen. Langzaam boog ze haar hoofd opzij. Als maatschappelijk werkster had ze in de loop van de jaren al veel lastige kinderen gekend, maar nog geen enkel zo vurig als Alfie. Ze ademde diep in voor ze iets zei. 'Alsjeblieft, Alfred, geloof me, ik ben hier om jou en je vader te helpen. Ik weet dat het niet gemakkelijk zal zijn om je daarbij neer te leggen. Ik weet dat je nu echt een hekel aan me hebt ...'

Dat de jongen zweeg, was veelbetekenend.

'Maar misschien ga je me na een tijdje wel aardig vinden. Er komt misschien wel een dag dat we vrienden worden ...'

Daar moest Alfie bijna om lachen.

'Luister, jongeman, laten we gaan zitten en wat praten ...'

Nu kon de jongen zijn woede niet meer bedwingen. 'Er is helemaal niets waarover ik met u wil praten!' riep hij. Hij drong langs haar heen de kleine keuken uit en stormde de gang door naar zijn slaapkamer.

'Alsjeblieft, Alfred ...' smeekte Winnie.

Maar de jongen deed alsof hij haar niet hoorde. Hij knalde de deur achter zich dicht en draaide de sleutel om. Hij liet zich op zijn bed vallen en kneep ontgoocheld zijn ogen dicht.

Een paar tellen later hoorde hij iemand voorzichtig op de deur kloppen.

KLOP. KLOP.

KLOP.

Zelfs de manier waarop ze op de deur klopte, maakte hem kregelig.

'Alfred?' fluisterde ze. 'Ik ben het, Winnie!'

Alfie zei niets.

'Ik kom maar even zeggen dat ik ga vertrekken,' zei Winnie alsof er niets aan de hand was. 'Maar morgenvroeg bel ik meteen de tandarts over je tanne. Ik heb gehoord dat het nu een heel aardige dame is. Juffrouw Wortel. Da-ag!'

Alfie slikte. Niet juffrouw Wortel. In geen geval juffrouw Wortel ...

9

Mondje dicht

Toen Alfie de volgende ochtend op school zijn kastje opendeed, vond hij een briefje dat iemand onder het deurtje geschoven had. De boodschap was er met krantenletters op geplakt en er stond geen naam onder.

De ketelruimte was diep in de kelders van de school. Ze was strikt verboden terrein voor alle leerlingen. Alfie keek over zijn schouder of iemand zag dat hij de wenteltrap af sloop die er vanaf het schoolplein naartoe leidde.

GEEN TOEGANG … stond er op een bordje.

Alfie draaide aan de klink en duwde de zware deur open. Die knarste. Het was donker in de ruimte en het sissen en gorgelen van de enorme ketel klonk zo hard dat niemand je boven kon horen. Zelfs niet als je zou schreeuwen. Zodra Alfie dat besefte, werd hij door angst overvallen. Hij was bang. Misschien was hij in de val gelokt.

Er verscheen een gedaante vanachter de ketel. Een kleine gedaante met dreadlocks.

'Gabz!' zei Alfie en hij slaakte een zucht van opluchting.

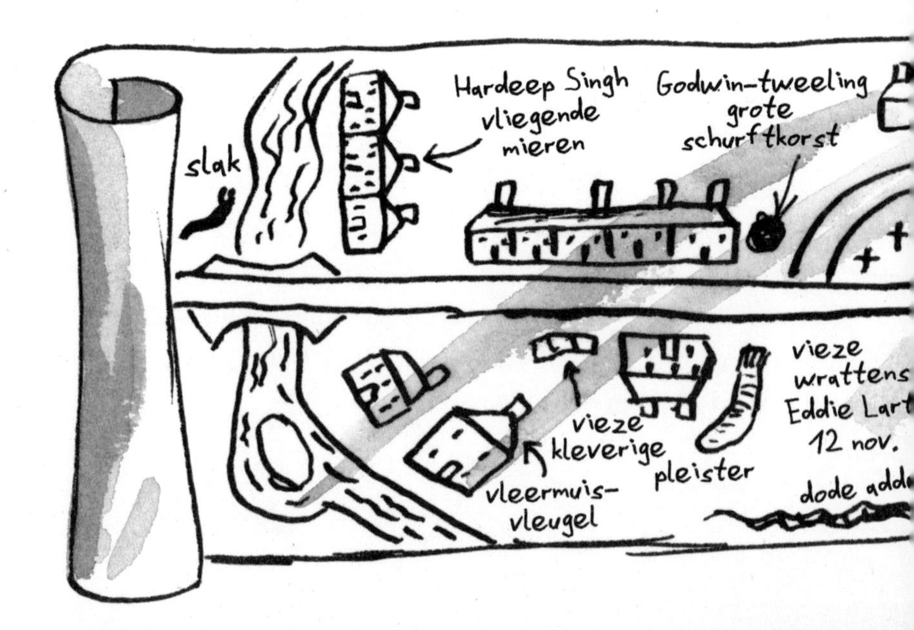

‘Waarom zijn we hier? Als een leerkracht ons hier betrapt, krijgen we zware problemen!’

‘Praat niet zo hard!’ fluisterde het meisje. ‘Je weet maar nooit wie je kan horen. Klem dat oude schoolbord maar vlug tegen de deur, zodat er niemand binnen kan komen ...’

Alfie deed wat ze hem opgedragen had.

Gabz keek nog even goed of de deur vast afgesloten was. Daarna rolde ze een heel groot papier dat ze bij zich had open op de vochtige, vuile vloer. Ze gingen op hun knieën zitten om het te bestuderen. Alfie begreep dat het een reusachtige kaart van de stad was. Gabz had er details op getekend en bij sommige huizen had ze met kleurpotloden aantekeningen geschreven.

Terwijl ze praatte, wees ze naar verschillende plaatsen op de kaart. ‘Twee weken geleden. Tien november. Jack Brown, een wespennest. Twaalf november. Lily Candy, kattenpoep. Dezelfde avond. Eddie Larter, een vieze oude wrattensok ...’

'Wat stelt dat allemaal voor?' vroeg Alfie verbijsterd.

'Dertien november. Een vrijdag. Dat was een drukke avond. Overal in de stad. Rian Skinner, een dode adder.

Tweelingzussen Jessie en Nell Godwin, een grote schurftkorst. Afkomst onbekend. Misschien zelfs niet menselijk.

Hardeep Singh, vliegende miereneieren. Werd in zijn slaapkamer wakker met duizenden mieren zoemend om hem heen ...'

'Ik begrijp er niets van,' zei Alfie.

'En gisteravond was het mijn beurt. Mijn tand viel uit. Hij zat al weken helemaal los en ik legde hem onder mijn hoofdkussen, zoals ik altijd deed. En raad eens wat ik vond toen ik wakker werd!'

'Ik ... eh, hm ... geen idee.'

'Een vleugel van een vleermuis!'

'Nee!'

'Ja. En hij flapperde nog. Was vast van het arme beest gerukt.'

Alfie kon zijn oren niet geloven.

En het meisje kwam nu pas goed op dreef. Ze was niet meer te stoppen. 'Ik begon vanmorgen op school meteen rond te vragen en kwam al snel te weten dat er overal in de stad wel iets gebeurd was. Met kinderen hier, hier, hier en hier ...' Ze wees naar verschillende huizen op de kaart. 'Ze waren vannacht allemaal het doelwit van iets vreselijks. En het ene achtergelaten visitekaartje was nog erger dan het andere. Veel erger. De poot van een das, een vervelde slang, honderden duizendpoten die onder het hoofdkussen van een meisje rondkropen, een vieze, kleverige, met etter doordrenkte pleister ...'

Alfie huiverde ervan. 'Dat is walgelijk!'

'Wat er ook aan de hand is, dit was nog maar het begin ...'

'Wie doet dat allemaal?' vroeg Alfie.

Het kleine meisje schudde haar hoofd en haar dreadlocks schudden mee. 'Niemand weet het. Geen enkel kind met wie ik gepraat heb, heeft iets gezien of gehoord. Ze merkten het pas toen ze vanmorgen wakker werden en keken of er een blinkend muntstuk onder hun kussen zou liggen.'

'En jij hebt gisteravond ook niets gezien?'

'Niets,' antwoordde Gabz. 'Ik sluit de deur van mijn kamer 's avonds en ik woon op de zevende verdieping van een flatgebouw. Zeg jij me maar eens hoe ze binnengekomen zijn ...'

Alfie dacht even na. 'Tja, het kan gewoon niet ...'

'Het kan wél,' zei Gabz zelfverzekerd. Ze leek even in gedachten verzonken. 'Misschien zijn ze naar binnen gevlogen ...'

Daar moest Alfie om lachen. Hij vond dat de verbeelding van het meisje nu toch echt op hol geslagen was. 'Kom nou, Gabz! Dat kan toch niet!'

Gabz keek hem aan. 'Alles kan, Alfie.'

Maar hij was nog niet overtuigd. 'Misschien moeten we deze kaart maar naar de directeur brengen ...'

Nu was het Gabz' beurt om te lachen. 'Naar meneer Grijs?' vroeg ze spottend. 'Hij is hopeloos. Hij liet die waanzinnige tandarts hierheen komen.'

Nu begonnen Alfies hersens echt te gonzen. 'Je denkt toch niet dat juffrouw Wortel er iets mee te maken heeft?'

Gabz dacht weer even na. 'Nee. Hoe zou dat kunnen? In één nacht zo veel huizen, overal in de stad. Dat is gewoon onmogelijk voor één persoon ...'

'Ja, dat denk ik ook.'

'Maar er is wel iets heel vreemds met haar ...' zei Gabz en ze staarde voor zich uit.

'Wat je ook van plan bent, gebruik in geen geval haar MAMMIE-tandpasta. Die brandt zelfs door stenen heen!'

'Wát?' Dat was een nieuw stukje van de puzzel.

'Ja. Ik liet er een heel klein beetje van vallen en dat brandde helemaal door de brug. Ik gooide de tube in het kanaal en de tandpasta doodde de vissen.'

'Wat ben ik blij dat ik niet stom genoeg was om ook zo'n tube te nemen,' zei Gabz.

Die opmerking vond Alfie niet leuk. 'Gabz, ik kon gewoon niet anders dan die tube aannemen!'

'Het zal wel!' Het meisje glimlachte. Het was duidelijk dat ze het fijn vond hem op de kast te jagen.

'Luister,' zei Alfie. 'We hebben hier een heleboel bewijsmateriaal. Laten we de directeur maar vergeten en gewoon naar de politie stappen ...'

10

Dringende politiezaken

‘Oké, jochies,’ zuchtte agent Oen. ‘Als ik het goed begrijp, hebben we het dus over een kwaadaardig, vliegend, tandenstelend monster?’

Meestal moest de politieman alleen maar parkeerbonnen geven of burenruzies bijleggen. Het was dan ook niet verrassend dat hij helemaal niets geloofde van het verhaal van de kinderen.

Alfie en Gabz waren onmiddellijk na school zo snel als hun benen hen konden dragen naar het politiekantoor gerend. Ze zaten nu in een helverlichte verhoorkamer bij een niet echt snuggere politieman.

‘Ik heb niet gezegd dat het ontegensprekelijk heel zeker een monster is,’ antwoordde Gabz.

Agent Oen schudde lusteloos zijn hoofd. ‘Maar het zou een monster kúnnen zijn?’

Ze knikte.

‘En niemand heeft het gezien. O ja, en het komt alleen ’s nachts naar buiten?’ Dat laatste klonk spottend.

‘Dat klopt,’ antwoordde Gabz. Ze probeerde stoer te kijken en rolde vlug de kaart open. ‘Kijk, agent. Al die kinderen zijn wakker geworden met iets vreselijks onder hun hoofdkussen …’

De politieman bestudeerde de kaart heel even, maar ook die kon hem niet tot andere gedachten brengen. 'Misschien hebben hun oudere broers of zussen een grapje met hen uitgehaald,' zei hij uiteindelijk.

'Dan toch een luguber grapje, niet?' vroeg Alfie stoer.

'Nou, ik eh … ik veronderstel dat het eh … nogal ingrijpend is …' hakkelde agent Oen.

De jongen wist zeker dat hij de politieman verslagen had.

Hij hoefde hem alleen nog maar de fatale klap toe te dienen. 'En we denken allebei dat het iets te maken heeft met de nieuwe tandarts, juffrouw Wortel,' zei hij. 'Ze kwam gisteren naar onze school en gaf me zomaar een tube van haar buitengewone tandpasta ...'

'Ja, en dan?' vroeg agent Oen.

'De pasta brandde door steen!'

De politieman kneep zijn ogen halfdicht en fronste zijn wenkbrauwen. Dat detail van het verhaal interesseerde hem wel. 'Heb je die tandpasta bij je, jongen?'

Alfie schudde schaapachtig zijn hoofd. 'Nee, ik eh ... heb hem in het kanaal gegooid.'

Agent Oen bleek overduidelijk niet onder de indruk. 'Milieuvervuiling. Dat is strafbaar. Daarvoor kan ik je op de bon slingeren!'

'Maar ...' protesteerde Alfie.

'Luister, jongen, als jij en je vriendinnetje me nu ...'

Vriendinnetje?! Alfie vond dat een afschuwelijke gedachte. Hij had nog nooit een vriendinnetje gehad. Op zijn leeftijd vonden jongens meisjes nog vies. Echt volkomen overduidelijk viezetrutterig*.

'Ze is mijn vriendinnetje niet,' protesteerde hij.

'Alsof ik met hem zou willen optrekken!' viel Gabz hem bij.

'Oké, oké ... Als jij en je "vriend" het niet erg vinden, ik

* Waarschuwing! Verzonnen woord.

moet nog wat dringend politiewerk doen.'

'Wat is dringender dan dit?!' vroeg Gabz.

De politieman keek gekrenkt. Hij was het niet gewend dat mensen zo'n toon tegen hem aansloegen. 'Als je het per se wilt weten, er zit een tachtigjarige vrouw in een cel op me te wachten. Ze werd in de supermarkt betrapt met een Schots ei in haar panty.'

'O, neem me niet kwalijk!' zei Gabz spottend. 'Ik had er geen idee van dat er een zware crimineel in ons midden was.'

Alfie grijnsde. Hij vond het leuk dat zijn nieuwe vriendin zo brutaal was. Maar agent Oen vond het uiteraard niet zo leuk. Integendeel, hij werd heel erg boos. Zo boos, dat hij ineens opstoof en schreeuwde.

'ERUIT!'

Een paar tellen later stond het tweetal buiten in de ijzige kou. Alfie probeerde Gabz wat op te beuren, want ze keek erg ontmoedigd.

'Toe nou, Gabz, je kunt het hem niet kwalijk nemen,' zei Alfie. 'Ik bedoel, het klinkt tenslotte allemaal wel erg ongeloofwaardig ...'

Het was nog maar late middag, maar het begon toch al te schemeren. Een venijnige winterwind joeg door de lucht toen Gabz naar de hemel keek.

'Ze gaan vannacht toeslaan,' zei ze. Ze keek naar de donkere wolken die overdreven. 'Ik weet het gewoon. Ergens in deze stad zal er een kind gillend wakker worden ...'

11

Het plan

‘Je bent laat, jongen!’ riep pap vanuit de huiskamer toen hij Alfie door de voordeur van hun huisje hoorde binnenkomen.

‘O, ik ben even eh … naar de schaakclub geweest,’ antwoordde Alfie.

Dat was niet de slimste leugen, want hij kon amper dammen en helemaal niet schaken. Maar hij wilde zijn vader niet ongerust maken.

Toen hij in de huiskamer kwam, zag hij dat ZIJ er weer was.

Winnie.

Ze was druk in de weer met paps dekentje.

‘Goed nieuws, Alfred, jongeman!’ kondigde ze meteen aan.

‘Wat kan dat zijn?’ vroeg de jongen. Hij hoopte dat ze zou zeggen dat ze naar het buitenland ging verhuizen.

‘Ik heb een afspraak voor je gemaakt bij de tandarts!’ zei ze trots.

Alfie huiverde.

‘Goed nieuws, hè, jongen?’ zei pap.

‘Ik heb juffrouw Wortel vanmorgen opgebeld,’ zei Winnie.

'Ze zei dat ze zich nog herinnerde dat ze je gisteren op school gezien had. Maar goed, haar afsprakenboek stond helemaal vol, maar omdat je tanne er zo slecht uitzien, wilde ze je er wel ergens tussen wringen. Morgen om twee uur!'

Morgen. Woensdag, dus. Alfie moest dan natuurlijk op school zijn. Voor twee uur wiskunde. Hij had een bloedhekel aan wiskunde. Maar **twee uur** wiskunde, of

drie uur wiskunde,

vier uur

wiskunde of zelfs **oneindig**

veel

uren wiskunde zouden nog beter zijn dan in zijn tanden te laten peuteren of prikken of ze zelfs te laten trekken. En in het bijzonder door die vrouw. Alfie had een hekel aan alles wat iets met wiskunde te maken had – aan de tafels van vermenigvuldiging, aan vergelijkingen, aan algebra – maar al die folteringen waren minder pijnlijk dan alles wat een tandarts deed.

'Dank u wel, Winnie,' loog Alfie.

'Hoe ga je ernaartoe?' vroeg pap.

'Maak je maar geen zorgen. Ik kan morgenmiddag vlak bij de school de bus nemen.'

Iedereen wist dat je geen rekening kon houden met de dienstregeling van de stadsbussen. Alfie was natuurlijk helemaal niet van plan naar de tandarts te gaan. En dankzij die slechte dienstregeling zou hij verschillende uitvluchten kunnen verzinnen waarom hij zijn afspraak niet gehaald had:

- Ik wachtte en bleef wachten, maar er kwam geen bus (een gouwe ouwe uitvlucht).

- Ik stapte op de verkeerde bus. Eentje die daar stond om er motorrijders over te laten springen.

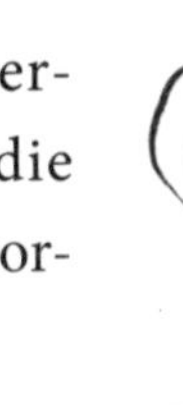

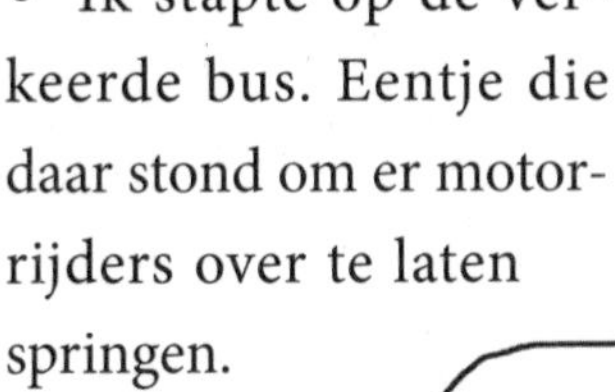

- De zwaarste man van de hele wereld stapte in en daardoor kantelde de bus om.

- Bij de dierentuin liep de bus urenlang vertraging op. Een hele groep waggelende pinguïns wilde instappen. Maar geen enkele had genoeg kleingeld om een kaartje te kopen en daardoor ziedde de chauffeur van woede.

- Een bende bankovervallers kaapte de bus en ze dwongen de chauffeur naar Mexico te rijden.

- De chauffeur sloeg een verkeerde weg in en even later zat de bus onder een te lage brug geklemd. Een groep wetenschappers moest hem verkleinen, zodat hij verder kon rijden. Dat nam natuurlijk heel wat tijd in beslag, want eerst moesten ze een machine uitvinden waarmee ze de bus konden verkleinen.

- De hond van de buren at de bus op. (Dat is een betere uitvlucht voor je huiswerk.)

- De bus was eigenlijk een Transformer, een vermomde robot. De reis naar de tandarts duurde erg lang doordat de bus met andere Transformers vocht om de heerschappij over het heelal. Bovendien werd er aan de weg gewerkt.

- De bus kreeg een lekke band. We moesten toen de sterkste man van de wereld vinden om de bus op te tillen, zodat het wiel vervangen kon worden. Maar niemand van de passagiers wist wie de sterkste man van de wereld was. Dus moesten we onze eigen Sterkste Man van de Wereld-wedstrijd houden aan de kant van de weg. En het duurde verschillende dagen en een reeks uitdagingen voordat we konden beslissen wie de winnaar was.

- De bus werd in een ruimte-tijdmaalstroom gezogen en ik werd miljarden jaren in de toekomst geslingerd. De aarde werd daar door aliens overheerst. (Die kan alleen maar als allerlaatste toevlucht gebruikt worden.)

Maar Winnie keek de jongen achterdochtig aan. Ze was al heel lang maatschappelijk werkster en had al allerlei soorten kinderen gekend. Overal in de stad zaten kinderen zoals Alfie. Ze logen en zochten uitvluchten om aan onderzoeken van hun neten of oorsmeer of wratten of tanden te ontsnappen.

'Nee, nee, nee, Alfred,' zei ze bliksemsnel. 'Je gaat niet met de bus.'

'Nee?' vroeg Alfie.

'Nee. Ik zal je er zelf naartoe brengen met mijn brommer.'

'Dat is erg vriendelijk van je, Winnie,' zei pap.

'Het hoort allemaal bij mijn werk, meneer Griffel.'

Daarop begon de maatschappelijk werkster haar plan uit te leggen.

Om halftwee zou ze Alfie bij de school gaan ophalen met haar brommer. Ze hoefde maar vijftien minuten te rijden, dus hij zou heel zeker niet te laat komen. Integendeel, hij zou vast te vroeg zijn.

Als ze bij de tandarts aankwamen, zou Winnie hem zelf naar boven brengen. Zo kreeg de jongen geen enkele kans om een onvoorziene omweg naar de snoepwinkel te maken.

Vervolgens, terwijl juffrouw Wortel in Alfies tanden peuterde en prikte, zou Winnie wachten tot ze daarmee klaar was en dan een nieuwe afspraak voor hem vastleggen.

Ten slotte zou ze hem terug naar school brengen. Hij zou zelfs niet alles van de twee uur wiskunde hoeven te missen!

Er was allemaal heel goed over nagedacht. Wat zou er kunnen mislopen?

Alfie keek door het raam. Als een reusachtige tropische vis pufte de maatschappelijk werkster met haar rode brommertje door de straat. De motor maakte een soort stotterend **tut-tut-tut**-geluid terwijl ze wegreed. Winnie

was echt een gevaar op de weg. Ze zwierde om geparkeerde auto's heen, sprong over een verkeersdrempel, maakte een wheelie en verdween uit het zicht.

*

'Zo, mijn pup ...' zei pap toen hij en Alfie later die avond in de woonkamer zaten. Bij kaarslicht, want de elektriciteit was al jaren afgesloten. 'Ben je klaar voor een nieuw avontuur?'

'Ja, pap,' antwoordde Alfie gedwee.

Maar hij was er niet echt klaar voor. Hij had belangrijkere dingen aan zijn hoofd dan in zijn verbeelding op reis te gaan.

'Doe dan je ogen maar dicht en geloof ...' verzocht pap hem.

Alfie zuchtte en deed tegen zijn zin zijn ogen half dicht. Terwijl de andere jongens van school naar 3D-films aan het kijken waren of de nieuwste computerspelletjes speelde, moest hij in de duistere woonkamer bij zijn vader zitten.

'Laten we geloven dat we in een oud kasteel aan een reusachtige, ronde houten tafel zitten. We hebben zware harnassen aan en daar hangen lange zwaarden aan. We zijn ridders. En om de tafel zitten nog tien ridders. Het is de tijd van koning Arthur en we zijn twee van de ridders van de ronde tafel. Vertel jij nu maar verder, jongen ...'

Alfies gedachten waren afgedwaald. Er gonsde nu zo veel door zijn hersens ... de vreselijke gebeurtenissen in de stad die Gabz ontdekt had ... de komst van de bemoeizieke maatschappelijk werkster … de afspraak met de ongelooflijk enge tandarts juffrouw Wortel. Alfie had wel gehoord wat zijn vader gezegd had, maar hij had er niet naar geluisterd.

'Oké, eh … dus we zijn ridders, oké, dus eh … ik weet niet …'

Pap deed zijn ogen open en zag dat die van Alfie ook open waren. 'Wat is er, jongen?'

'Niets, pap. Het spijt me, ik heb heel veel werk voor school. Er zitten een paar moeilijke toetsen aan te komen …'

Het kaarslicht flikkerde in de duisternis, maar er was nog voldoende licht om te zien dat pap overstuur was.

Hij stak zijn hand uit naar die van zijn zoontje. 'Pup, je zult het me toch vertellen als er iets is, hè?'

'Ja, natuurlijk,' zei Alfie en hij trok zijn hand weg.

De ene gedachte na de andere schoot door zijn hoofd. In geen honderd jaar zou hij naar de behandelkamer van die tandarts gaan. Dus moest hij een list bedenken. Snel.

12

Alfies list

Elke ochtend moest Alfie ontzettend vroeg opstaan. Hij moest niet alleen zichzelf klaarmaken voor school, hij moest ook voor zijn vader zorgen. Hij trok zijn schooluniform aan en hielp zijn vader dan om zich te wassen en aan te kleden. Daarna maakte hij hun ontbijt klaar.

Die ochtend was er in de keukenkast alleen nog een keiharde korst brood te vinden. De jongen gaf pap de grootste helft, maar toen Alfie even niet keek, verwisselde pap de borden, zodat zijn zoontje het grootste stuk kreeg.

Voor Alfie het besefte, moest hij rennen.

'Vergeet niet dat Winnie je om halftwee bij de school komt ophalen om naar de tandarts te gaan,' zei pap.

'Hoe zou ik dát kunnen vergeten!' zuchtte de jongen.

'Winnie is een fijne vrouw. Ze heeft zelfs naar de school gebeld, zodat ze van alles op de hoogte zijn.'

'Dat is erg vriendelijk van haar,' zei Alfie stijfjes.

'Zorg dus maar dat je er bent.'

'Wees gerust, pap, ik zal er zijn,' loog de jongen. Hij

gaf zijn vader een zoen op zijn voorhoofd zoals elke ochtend en vertrok naar school.

Hij had de hele nacht niet kunnen slapen. Urenlang hadden er gedachten door zijn hoofd gewerveld om een list te kunnen bedenken.

En eigenlijk was het eenvoudig. Doodeenvoudig.

Hij zou zich verstoppen.

Zijn plan bestond uit drie stappen.

1. Om 13.29 uur zou hij in de wiskundeles de toestemming vragen om naar de tandarts te gaan.

2. In plaats van naar de schoolpoort te lopen, waar Winnie op hem zou wachten, zou hij zich ergens gaan verstoppen. De school was groot en er moesten wel honderden goede schuilplaatsen zijn. In de voorraadkast, onder een stapel gevonden voorwerpen, zelfs achter de atlassen in de bibliotheek.

Om het even waar, als die bemoeizuchtige vrouw hem maar niet kon vinden.

3. Daar zou hij dan blijven zitten tot de schoolbel het einde van de lessen aankondigde. En dan zou hij gewoon meelopen met de menigte kinderen die naar huis gingen.

*

'Pst, Alfie!'

De jongen keek om zich heen op het schoolplein, maar nergens zag hij iemand die zijn aandacht had willen trekken.

'Pst … Achter de vuilnisbakken!'

Het was nog erg vroeg en overal op het schoolplein renden kinderen door elkaar. Alfie liep om de bakken heen en slaakte een zucht van opluchting toen hij zag dat het de stem van zijn nieuwste en kleinste vriendin was.

'O, hallo, Gabz,' zei hij.

'Vannacht. Weer dertien meldingen!'

'Wow!' Alfie was overdonderd.

'Kinderen vonden weer van alles onder hun hoofdkussen …'

'Zoals?'

'Een keurig afgesneden staartje van een puppy … een harige wrat … een sidderaal die nog kronkelde … En is je vanmorgen niets opgevallen?'

'Wat dan?'

'De kinderen. Kijk naar hen ...'

Alfie loerde vanachter de vuilnisbakken naar de spelende leerlingen. Op het eerste gezicht viel hem helemaal niets bijzonders op. 'Ik weet niet ...'

'Ik dacht dat jij anders was dan de anderen. Ik dacht dat jij slim was ...'

Alfie wilde niet dat ze een lage dunk van hem zou krijgen. Hij keek wat aandachtiger en nu viel het hem op dat de kinderen rustiger waren dan gewoonlijk en dat sommigen met een pijnlijk gezicht aan hun wangen voelden.

'Tandpijn!' riep Alfie uit.

'Bingo!' zuchtte Gabz. 'We zijn er!'

'Dat zal wel komen door de snoepjes die Wortel uitdeelde ...'

'Dat meen je niet,' zei Gabz sarcastisch.

Alfie begon het beu te worden dat ze tegen hem sprak alsof hij een echte idioot was. 'Zwijg nu toch eens even,' zei hij. 'Ik begin je echt vervelend te vinden.' Hij dacht na. 'Het is dus wel duidelijk dat die snoepjes niet suikervrij zijn. Er zit vast heel veel suiker in. Maar waarom doet Wortel dat? Om nieuwe patiënten te krijgen ...?'

'Of zou het een lugubere grap van een ziekelijke geest zijn?' dacht Gabz hardop na.

Ineens schoot er Alfie iets te binnen. 'Je zult het niet geloven, maar mijn maatschappelijk werkster heeft met Wortel een afspraak voor me gemaakt voor vanmiddag ...'

Er gleed een brede glimlach over het gezicht van het kleine meisje. 'Dat is geweldig!'

'Wát?' vroeg Alfie ongelovig.

'Je kunt in haar behandelkamer aandachtig rondkijken. Misschien valt je daar wel iets op waardoor we haar in verband kunnen brengen met de tandendiefstallen die er aan de gang zijn.'

Alfie kon zijn oren niet geloven. 'Ben je nou helemaal gek geworden? Ik ben doodsbang voor die vrouw! Ik wil zelfs niet in de buurt van haar behandelkamer komen! Wie weet wat ze daar allemaal uitspookt!'

'Angsthaas.'

Alfie keek stomverbaasd. Hij kon niet geloven dat ze hem een angsthaas genoemd had.

Een meisje!
En ze was nog maar elf jaar!
En een heel stuk kleiner dan hij!

'Zeg dat nog een keer!' zei hij ontstemd.

Gabz was niet onder de indruk van zijn strenge toon. 'Angsthaas, angsthaas, angsthaas,' zei ze treiterig.

'Hé, speurkeffertje!' spotte Alfie. 'Jij bent wanhopig op zoek naar alles over Wortel! Waarom ga je niet zelf?'

Gabz keek hem brutaal aan. 'Misschien doe ik dat wel,' zei ze. Ze draaide zich om, schudde met haar dreadlocks en liep naar de hoofdingang van het schoolgebouw.

De schooldag verliep pijnlijk traag voor Alfie. Elke les leek uren te duren. Hij wachtte en wachtte op wiskunde. Dan kon hij beginnen met zijn driepuntenplan uit te werken. Het was uitgesloten dat hij naar de behandelkamer van juffrouw

Wortel zou gaan en die vrouw haar gang zou laten gaan met zijn tanden. Het kon hem geen biet schelen als hij daardoor een 'angsthaas' was.

Eindelijk sprong de wijzer van de klok dan toch naar 13.29 uur.

Precies op het juiste moment. Net in het midden van een ontzettende algebra-breinbreker stak Alfie zijn hand op om te vragen of hij mocht vertrekken.

De schoolsecretaris had de wiskundeleraar, meneer Wu, op de hoogte gebracht van de afspraak bij de tandarts en de jongen mocht gaan.

'Heel goed van je!' zei de leraar. 'Ik vind ook dat je je tanden dringend moet laten nakijken, Griffith!'

De hele klas giechelde, maar Alfie zei niets. Hij stond op, pakte zijn spullen en liep de klas uit.

BOEM!

Zijn list liep op rolletjes.

Het enige wat hij nu moest doen, was een schuilplaats zoeken. En snel.

Terwijl hij liep, voelde hij stiekem even aan de deurklink van de kast met schoonmaakmateriaal. Verdikkeme. Gesloten. Bij de klaslokalen liep hij gebogen onder de ramen door om de priemende ogen van achterdochtige leerkrachten te ontwijken.

Op een overloop keek hij door een raam naar buiten. Door het groezelige glas zag hij het lege schoolplein en daarachter de grote schoolpoort. En daar, in de regen, stond Winnie. Er was echt geen twijfel mogelijk, want haar rode brommertje stond naast haar. Ze had een wijde, oranje anorak aan, die opbolde door de wind. Daardoor had de vrouw iets van een tent die losgerukt dreigde te worden en hoog de lucht in zou vliegen. Heel even voelde Alfie zich een beetje schuldig omdat de maatschappelijk werkster daar omwille van hem in de kou stond te wachten. Ze probeert me toch alleen maar te helpen, dacht hij. Maar onmiddellijk schoot er een andere gedachte door zijn hoofd … Nee, ze is gewoon een bemoeiziek oud wijf. Hij zag dat Winnie op haar horloge keek en toen naar het schoolgebouw. Hij dook weg. Had ze hem gezien? Hij wist het niet zeker.

Hij holde de trap op, wanhopig op zoek naar een schuilplaats. De klaslokalen waren allemaal bezet, het tekenlokaal was gesloten en helemaal naar beneden naar de ketelruimte lopen was te riskant.

Ineens hoorde hij diep in de buik van de school een geluid. Een geluid dat hij niet had kunnen voorzien of voorspellen of zelfs maar kunnen voorzienspellen*.

Het *tut-tut-tut-*geluid van Winnies brommer klonk door de gang …

* Waarschuwing! Verzonnen woord.

13

Impro!

Alfie rende voorbij een bordje NIET RENNEN DOOR DE GANG

Hij raakte buiten adem en paniek begon hem te overvallen. Hoe kon hij ontsnappen aan een brommer? Zelfs aan eentje met heel wat gewicht erop? Het geluid van de brommer klonk steeds harder. Winnie kwam almaar dichterbij …

Alfie sloop op de toppen van zijn tenen naar de grote trap en kroop achter de reling. Vanaf de derde verdieping keek hij waar ze naartoe reed …

Tut-tut-tut ... Het rode brommertje reed beneden door de gang. De maatschappelijk werkster zat er schrijlings op. Ze reed langzaam en liet haar voeten over de grond slepen. Door alle ramen van de klassen loerde ze naar binnen, op zoek naar haar prooi. Zelfs vanwaar Alfie zat, kon hij zien dat ze kookte van woede. Niemand staat graag buiten te wachten als het regent en waait. Winnies gezicht was helemaal verwrongen, alsof ze op een prikkende brandnetel aan het kauwen was.

Alfie bleef even doodstil zitten. Als hij ook maar heel even bewoog, kon ze dat misschien al merken.

De maatschappelijk werkster reed in beide richtingen door de gang en richtte zich toen op op haar brommertje. Om wat snelheid te winnen reed ze een paar keer helemaal om de trap heen. En toen, met een stevige draai aan het gashendel, schoot ze de eerste trede op.

Alfie sprong vanachter de reling en Winnie zag hem meteen.

'ALFRED!'

schreeuwde ze en ze hobbelde de trap op.

'ALFRED! KOM TERUG, JONGEN!'

Alfie rende wel, maar hij wist niet waarheen. Hij stoof door een andere gang, botste links en rechts tegen de muren en zijn benen droegen hem zo snel dat zijn hersens nauwelijks konden volgen. De plattegrond van de school zat helemaal in zijn hoofd door altijd maar van klas naar klas te lopen. Hij wist dus dat hij niet kon ontsnappen.

Het brommen van de brommer klonk steeds harder. Alfie stond nu aan het eind van een gang, letterlijk met zijn rug tegen een lange rij kasten. Winnie had de bovenste verdieping bereikt en kwam naar hem toe gesnord.

Alfie sprong naar links. Verdikkeme. De stomme deur van het talenlaboratorium was gesloten. En de brommer kwam nog altijd recht op hem af. Hij sprong naar rechts en draaide aan de klink.

Hij gooide zich tegen de deur en viel naar binnen. Ineens stond hij midden in de toneelklas …

'Begin er maar aan!' riep de leraar. 'Impro!'

Meneer Snood was de leraar voordracht en toneel. Hij was kaal en droeg een grote bril, een zwarte coltrui, zwarte jeans en zwarte schoenen. Als hij in de aula voor het zwarte gordijn stond, was het net alsof er een gigantisch gekookt ei door de lucht zweefde. Snood leefde voor toneel. Toneel was zijn grote liefde. Toneel beheerste zijn hele leven. Hij onderwees toneel met vinnige ernst.

Alfie vond dat hele bomen uitbeelden in een les van Snood ontzettend beschamend. Dat vonden trouwens de meeste kinderen. En nu Alfie zo onverwachts door de deur naar binnen viel, stonden alle leerlingen in het midden van het lokaal te kijken alsof ze overal wilden zijn behalve daar. Ze

waren allemaal erg tegen hun zin aan het proberen om een scène te improviseren over het einde van de wereld (Snood noemde dat dus 'impro'). Dat was altijd Snoods favoriete uitgangspunt voor een 'impro': het einde van de wereld.

'Een reusachtige meteoor gaat tegen de aarde botsen! Impro!' Zo begon het zwevende ei de meeste van zijn lessen. Dan pakte hij zijn stoel op en hij zwaaide die theatraal (hoe anders?) in het rond. Vervolgens ging hij er achterstevoren schrijlings op zitten. En zo keek hij dan aandachtig toe, terwijl zijn leerlingen heen en weer schuifelden. Ze mompelden dan iets over een reusachtige meteoor die tegen de aarde botste, maar eigenlijk wensten ze dat er echt een meteoor tegen de aarde zou botsen, die hen zou redden van de beschamende vertoning waaraan ze moesten deelnemen.

'Ik zei **"IMPRO!"'** riep Snood.

'Ik heb vandaag geen toneelles, meneer,' zei Alfie.

'Dat maakt niets uit, jongen,' antwoordde Snood met zijn diepe, volle stem. Die klonk zo vol als chocolademousse. 'Je bent nu een deel van het toneel. Dus: een gigantische meteoor gaat tegen de aarde botsen en al het menselijk, dierlijk en plantaardig leven zal vernietigd worden!

IMPRO!'

'Eh ...' zei Alfie. Hij kon helemaal niets bedenken om te zeggen, maar hij hoorde de brommer tuffen in de gang ...

‘IMPRO!’ drong Snood aan.

‘Eh, hm, hm, slecht nieuws over dat meteoorgeval dat de aarde gaat raken,’ stamelde Alfie. ‘Maar het goede nieuws is dat de pizza’s er zijn die ik besteld heb …’

Net op dat ogenblik knalde Winnies brommer door de deur.

Zelfs Snood leek heel even van zijn stuk gebracht, maar nu de improvisatie aan het lopen was, kon hij die niet meer stoppen.

‘IMPRO!’

‘Wat?’ zei Winnie. Ze kreeg Alfie in de gaten en stopte zo bruusk dat haar brommertje slipte.

‘Zeg ons wat voor pizza’s je bij je hebt!’ riep Snood.

‘Ik kom geen pizza’s bezorgen, idioot. Ik ben maatschappelijk werkster …’

‘Luister, allemaal,’ zei Snood tegen zijn leerlingen. ‘Wat die dame hier gedaan heeft, is … Iemand? Nee? Ze heeft midden in een impro de rollen omgekeerd. En je weet wat ik altijd gezegd heb:

DAT IS EEN IMPRO-TABOE!’

‘Ik ben hier om die jongen naar de tandarts te brengen!’ riep Winnie.

'En ik wil nog iets zeggen. De eerste stelregel is ... Iemand? Nee? De eerste stelregel is dat je een impro nooit mag onderbreken. **OOK DAT IS ABSOLUUT EEN IMPRO-TABOE!** En ik ben er vurig van overtuigd dat die tandartsafspraak toevoegen te veel van het goede is, bovenop het meteoorgevaar en de pizza's die net geleverd zijn (wat overigens een sterk staaltje 'ge-impro'* was, geweldig gefeliciteerd, Alfie, iedereen zou natuurlijk een gratis knoflookbroodje bij zijn laatste maaltijd willen). Het spijt me, maar het is

EEN IMPRO in **EEN IMPRO** in **EEN IMPRO** en zo krijg je natuurlijk een **GEWELDIG IMPRO-TABOE!'**

* Waarschuwing! Verzonnen woord. (Neem het mij niet kwalijk, neem het meneer Snood kwalijk.)

Winnie zat er nu zwijgend bij. Haar hele lichaam trilde door de ronkende motor. Ze keek staalhard naar meneer Snood.

'Ik weet niet wie u bent, maar hou alstublieft op met zo **bekakt** te praten!' zei ze ten slotte toch. En daarop draaide ze zich naar Alfie toe. 'En jij komt onmiddellijk op deze brommer zitten!'

De jongen bleef even onbeweeglijk staan waar hij stond.

'Daar hou ik wel van,' fluisterde Snood tegen zijn leerlingen. 'Spanning opbouwen, gevoel voor drama, theater op zijn best … Zal hij op de brommer gaan zitten of niet?'

Plotseling duwde Alfie een stoel om voor de brommer en hij rende het lokaal uit. Winnie zwierde ogenblikkelijk haar brommer om de stoel heen en zette de achtervolging in.

'Laten we gaan waar de impro ons heen leidt!' riep Snood. 'Kom mee, mijn acteurs! Dit is impro in actie!'

Hij stak triomfantelijk zijn vuist in de lucht en liep voor zijn volkomen verbijsterde leerlingen het lokaal uit. Ze zaten achter Winnie aan, die achter Alfie aan zat, die door de gang rende.

De jongen sloeg de hoek om en botste pal op de directeur, die van de andere kant kwam.

'Wat krijgen we nou ...' Meneer Grijs deed hard zijn best om zo streng mogelijk te klinken, maar het lukte hem niet. 'Wat staat er op het bordje?'

'Toiletten?' probeerde Alfie.

'Het andere!'

'O! Niet rennen door de gang, meneer.'

'Juist, dank je wel. Je liep me bijna omver!'

'Het spijt me, meneer.'

'Iemand had een oog kunnen kwijtraken.'

Alfie wist niet zeker of dat wel waar was. Leerkrachten zeiden dat vaak. Volgens hen kon je door om het even wat

(een afgedwaalde voetbal,

een rondslingerende boekentas,

zelfs door nog laat met je huiswerk bezig te zijn)

een oog kwijtraken.

Maar het was nu niet het juiste moment om te gaan discussiëren.

'Ja, natuurlijk, het spijt me, meneer,' gaf Alfie toe.

'Ga nu maar, jongen,' zei de directeur. Er verscheen een brede glimlach op zijn gezicht. Eindelijk had hij eens iets directeursachtigs* gedaan.

'Dank u, meneer.'

Alfie ging ervandoor zo snel als hij kon zonder te rennen.

Meneer Grijs trok zijn grijze das recht, haalde zijn vingers door zijn grijze haar en vervolgde zijn weg met vernieuwde zelfverzekerdheid.

Maar zodra hij de hoek om sloeg, slaakte hij een kreet …

'AAAAAAAAAAAAAAAAAAAR RRRRRRRRRGGGGGGGG HHHHHHHHHHHHHH!'

* Waarschuwing! Verzonnen woord.

Winnie kwam recht op hem af geraasd met haar brommer.

'Laat me door, idioot!' riep ze.

Meneer Grijs kon nog net op tijd tegen de muur springen.

'Hallo, mevrouw!' riep hij haar na. 'In de gangen niet met een brommer of een ander gemotoriseerd voertuig rijden, alstublieft!'

Winnie keek niet om. Door het geraas van de motor hoorde ze hem nauwelijks.

De directeur bleef staan en zag haar door de gang verdwijnen. Hij schudde zijn hoofd en deed afkeurend 'Ts, ts ...'

Een paar tellen later werd hij al onder de voet gelopen door meneer Snood en wel dertig van zijn leerlingen.

'Erg goed geacteerd dat u vertrappeld werd, directeur!' riep Snood. 'Geweldig gefeliciteerd!'

14

Bolletjes

Alfie holde de volgende hoek om en struikelde over een schooltas. Met zijn twee ogen nog onbeschadigd viel hij in de richting van een deur die op een kier stond en hij landde holderdebolder op de vloer van het fysicalokaal. De arme, bejaarde lerares, juffrouw Haas, werd overdonderd midden in een ingewikkeld experiment met magneten en metalen bolletjes. Toen Alfie door de deur naar binnen knalde, liet ze haar grote doos met bolletjes vallen. Die landde op de vloer

en in een paar tellen stuiterden honderden en honderden metalen bolletjes in het rond. Terwijl Alfie overeind krabbelde, rolden er een groot aantal onder zijn voeten. Het leek alsof hij op rolschaatsen stond die volkomen dolgedraaid waren. Hij begon door het lokaal te zwieren en te zwaaien als een stomdronken man die probeerde te dansen.

'Jij daar, kom hier!' riep de keurig nette juffrouw Haas. Ze wilde achter hem aan gaan, maar ook onder haar voeten rolden er bolletjes. Als een emoe op een ijsvlakte gleed ze

door het lokaal. Stoppen kon ze niet en ze tuimelde door de lucht. Haar benen zaten nu waar haar armen hoorden te zitten. En, nog erger, de hele klas kon haar onderbroek zien. De leerlingen hadden die middag niets spannenders verwacht dan metalen bolletjes die langzaam naar een magneet toe rolden, maar nu gierden ze het uit. De onderbroek van hun juf was veel leuker om te zien dan wat rollende bolletjes.

En het was geen gewone onderbroek. Nee, hoor! Haar onderbroek was behoorlijk lang, met behoorlijk veel kan-

ten tierlantijntjes eraan. Zoals dames er in de tijd van onze oudbetovergrootouders* droegen.

Het gieren ging over in naar adem snakken toen een buitenmaatse vrouw op een ondermaats brommertje dwars door de deur heen reed, zodat die uit haar hengsels vloog.

Winnie liet de motor hard ronken. 'Kom op mijn brommer zitten, jongen!'

En net op dat ogenblik kwamen ook meneer Snood en zijn leerling-acteurs eraan. Ze drongen samen voor het deurgat, want ze wilden zien hoe de 'impro' zich verder zou ontwikkelen.

'Nee!' schreeuwde Alfie. **'Nooit!'**

'Hm, wat heb ik jullie een paar weken geleden gezegd?' zei de dramaleraar tegen zijn leerlingen. 'Wat is er nog meer belangrijk in impro? Iemand? Nee? In impro moet je altijd ja zeggen! Nee zeggen is een impro-taboe!'

Alfie dook naar links
en de brommer zwenkte
naar links.

Hij dook naar rechts
en de brommer zwenkte
naar rechts.

* Waarschuwing! Verzonnen woord.

Vervolgens ging hij op handen en knieën zitten om te proberen onder de tafeltjes en de stoelen door naar de deur te kunnen ontsnappen.

Ondertussen was juffrouw Haas bloedrood aangelopen, want wat er net gebeurd was zou natuurlijk voorgoed bekendstaan als het 'onderbroekenschandaal'. Maar zodra ze overeind gekropen was, trok ze haar tweed plooirok recht alsof er niets gebeurd was en ging ook zij achter Alfie aan.

Uit alle macht pakte ze de achterkant van zijn blazer vast.

Alfie rukte zijn hele lijf naar voren.

Juffrouw Haas verloor haar evenwicht en tuimelde naar achteren.

En haar onderbroek, die dus al een reis door de tijd gemaakt leek te hebben, reisde nu ook door de ruimte.

Dit zou later ongetwijfeld 'onderbroekenschandaal II' of 'onderbroekenschandaal: het vervolg' genoemd worden.

Winnie liet haar brommer terug naar het deurgat glijden, zodat ze Alfie de weg kon afsnijden.

'Geef het op, jongen!'

'Nee!'

'Je kunt niet eeuwig blijven weglopen ...'

'En u kunt niet eeuwig blijven ...' Alfie zocht wanhopig naar een geschikt woord. '... brommeren*!' Iets beters kon hij niet verzinnen.

Hij kon nu nergens meer naartoe. Voor het deurgat stonden Snood en zijn toneelleerlingen. En door een raam springen kon hij ook niet, want ze zaten op de derde verdieping. Hij zat echt in de val.

* Waarschuwing! Verzonnen woord.

15

Bobsleeën op de trap

Alfie was niet van plan zich zonder strijd gewonnen te geven. Hij wipte vooraan in de klas op de lessenaar van de lerares en stond nu naast een dienblad met enkele magneten erop. Daarnaast stond nog een doos vol metalen bolletjes. Op dat moment flitste er een gewaagd plan door het hoofd van de jongen.

Om te beginnen duwde hij de doos op de vloer, zodat de bolletjes in alle richtingen rolden.

Vervolgens pakte hij het dienblad en hield hij het voor zijn borst.

En ten slotte liet hij zich voorover op de vloer vallen en roetsjte hij door de klas.

Het was net alsof hij aan het bobsleeën was. Hij zoefde tussen de benen van Snood door en recht door de deuropening het lokaal uit.

De bolletjes rolden de gang in, Alfie lag nog op het dienblad en zo gleed hij snel verder. Hij keek even om en zag dat Snood en zijn leerlingen wanhopig hun evenwicht probeerden te bewaren tussen de rollende balletjes. 'Rol mee met de impro!' riep Snood hard terwijl hij rondtolde.

Het dienblad raasde halsoverkop voort langs verschillen-

de klaslokalen, recht naar de hoge trap toe.

O nee! dacht Alfie en hij kneep zijn ogen dicht.

Het dienblad …

BONK
BONK
BONKTE

… de trap af en op elke trede werden Alfies botten door elkaar geschud.

TUT-TUT-TUT.

Winnies brommer kwam steeds dichterbij met Haas, Snood en hun hele klas erachteraan. Het dienblad gleed nu zo snel dat Alfie het onmogelijk kon laten stoppen. En net nu zag hij onder aan de trap iemand staan. Het was de directeur, meneer Grijs. Hij ging zich vast terugtrekken in zijn veilige kantoor.

Bij elke …

BONK

BONK

BONK

… raasde het dienblad onheilspellend snel naar hem toe. Terwijl Alfie zo naar beneden gleed, besefte hij dat hij op ramkoers lag met de directeur. Niets kon de botsing nog voorkomen.

BAF!

Het dienblad vloog tegen de enkels van meneer Grijs.

De directeur werd ondersteboven gereden. Door de klap gleed Alfie van het dienblad en kwam hij helemaal verfomfaaid onder aan de trap terecht.

'Het spijt me, meneer,' zei hij terwijl hij opkrabbelde en meneer Grijs overeind hielp. 'Ik zou wat graag blijven om u te laten zeggen dat ik moet nablijven, maar ik moet nu echt weg!' Hij rende de deur uit naar het schoolplein.

En net toen de directeur hem iets wilde naroepen ...

SMAK!

… werd de arme man in de lucht geslingerd door een omvangrijke vrouw, die razendsnel de trap af geraasd kwam met een brommer. Meneer Grijs viel met een …

BONK!

… op zijn knokige achterste. Nu zat hij daar op de vloer en niemand zou het hem kwalijk genomen hebben als hij gedacht had dat hij nu alle ellende achter de rug had.

Maar hij vergiste zich. Hij vergiste zich heel erg.

Hij was zelfs nog niet helemaal opgekrabbeld of …

BONS!

… hij werd overrompeld door een ware stormloop.

Meneer Grijs werd opnieuw onder de voet gelopen. Nu door enkele van zijn eigen leerkrachten en een steeds groter wordende groep leerlingen die hen achternazaten. Vanwege al het tumult in de school stroomden ze gewoon uit de klas-

lokalen. Er was een jongen ontsnapt! En hij moest gevonden worden! Ze achtervolgden Alfie op het schoolplein.

Nu sloten ook de kantinejuffen zich bij hen aan. Ze schommelden uit de eetzaal zo vlug als hun mollige beentjes hen konden dragen en zwaaiden dreigend met hun soeplepel. De conciërge op de parking stopte met bladeren te harken. Hij voegde zich bij de lawaaierige menigte en zwaaide wild met zijn hark.

'Vindingrijk gebruik van een rekwisiet!' vond Snood.

Zelfs de bejaarde secretaresse, juffrouw Hedge, schuifelde naar buiten met haar looprekje. 'Ik krijg hem wel!' riep ze. En ze hobbelde ver achter de groep aan, nog trager dan vloeibare stroop.

Winnie voerde de menigte aan. Ze achtervolgde Alfie met haar brommer. '**HOU DIE JONGEN TEGEN!**' schreeuwde ze.

Maar de jongen bleef rennen.

Hij rende en rende en bleef rennen. Hij was eigenlijk niet sportief aangelegd en had nooit eerder in zijn leven zo hard gerend. (Verbaast het je dat hij teleurgesteld was omdat hij een wereldrecord sprinten aan het breken was en dat het niet in aanmerking zou komen bij de Olympische Spelen?)

Hij keek snel even om en zag dat er nu honderden mensen hem achtervolgden.

Het was één jongen tegen een heel leger, maar hij was nog niet van plan het op te geven.

Wat verderop zag hij de reusachtige ijzeren poort waarachter de straat lag.

De hele school zal me toch niet door de poort volgen? dacht hij.

Hij vergiste zich.

16

Een wenkende hand

‘HOU DIE JONGEN TEGEN!’ brulde Winnie toen ze zag dat Alfie voorbij een paar vrouwen met een kinderwagen stormde.

De vrouwen keerden om en sloten zich aan bij de achtervolgers. Hun baby’s hobbelden op en neer in de wagens.

Een schoolbrigadier, een dakloze man en zelfs een paar wegwerkers volgden de lange rij mensen die jacht maakten op Alfie. De wegwerkers hadden druk aan het werk moeten zijn, maar zoals altijd hadden ze thee gedronken, de krant gelezen en naar aantrekkelijke vrouwen gefloten.

Winnie zag agent Oen zo verstrooid heen en weer wandelen dat hij zelfs niets merkte van het tumult.

‘HOU HEM TEGEN, AGENT!’ schreeuwde ze hem toe.

En nu drong het ineens tot hem door dat dit misschien wel het belangrijkste moment van zijn leven was. Het moment waar hij zich al die jaren op de politieschool op voorbereid had. Hare Majesteit de Koningin zou hem persoonlijk een medaille opspelden voor moed en opoffering. De tachtigjarige Schots ei-dievegge was maar een klein visje. Nu kon

hij er vast een grote vangen. Dit was zijn moment. Het grote Oen-moment was eindelijk aangebroken!

Dus versnelde hij zijn pas een beetje.

'O, jij bent het!' riep hij zonder het minste resultaat. 'Kom terug, jongen!'

Hij had nog maar enkele passen wat sneller gelopen en was al buiten adem. Zelfs snelwandelen lukte hem niet meer. En al snel kon hij zelfs niet meer gewoon stappen. Hij leunde tegen een muur om weer op adem te komen en begon in zijn walkietalkie te brabbelen.

‘Oen aan centrale. Heb dringend assistentie nodig. Herhaal. Dringend assistentie. Ben bekaf. Herhaal. Bekaf. En kun je me onderweg een zakje gezouten chips kopen? Herhaal. Gezouten chips. Dringend. Over.’

Alfie bleef maar rennen. Hij wist niet waarheen. Hij kon alleen maar blijven rennen. Hij sloeg weer een hoek om en zag een straat met een rij troosteloze winkels voor zich. De meeste waren duidelijk al jaren gesloten, want de deuren en de ramen waren dichtgespijkerd.

Er huilden sirenes.

Oens versterking van het politiekantoor was aangekomen. In een oogwenk sloegen twee combi’s de straat in. Ze stopten met gierende remmen en gingen in het midden van de straat

staan, zodat ze Alfie de weg afsneden. Agenten sprongen uit de auto's en zochten dekking achter de portieren.

'Geef je over, jongen!' riep een van hen door een megafoon. 'Je kunt geen kant meer op ...'

'Heb je me zoute chips meegebracht?' vroeg Oen door zijn walkietalkie.

'Negatief!' klonk het krakende antwoord. 'Ze waren op. We hebben paprika! Over!'

'Ik lust geen paprikachips,' antwoordde Oen. 'Ik herhaal. Negatief wat paprikachips betreft. Over.'

Alfie keek achter zich. Hij kon niet achteruit. Hij kon niet vooruit. Hij kon nergens naartoe.

Winnie glimlachte en smakte met haar lippen. Er gleed een zelfvoldane grijns over haar gezicht. 'Jij gaat naar de tandarts, jongen!'

Ze had gewonnen. Of toch niet?

Plotseling hoorde Alfie gekraak. Zijn ogen vlogen naar

de winkels. Een van de deuren ging langzaam open. Er verscheen een lange, magere hand en die gaf hem een teken dat hij naar binnen moest komen.

Het was zijn enige kans om te ontsnappen. Zonder aarzelen haastte hij zich erheen. Hij kroop naar binnen en sloeg de deur achter zich dicht.

Buiten hoorde hij dat mensen naar de deur toe stormden. Maar Winnie riep: 'Nee! Laat hem maar!'

Alfie werd er helemaal door van zijn stuk gebracht. Waarom kwamen ze niet naar binnen? Hij vond het allemaal te gemakkelijk.

Zo snel als de hand verschenen was, verdween ze ook weer. De persoon van wie ze was, was nergens te zien. Vlak voor zich zag Alfie een smalle trap. Aarzelend schoof hij dichterbij. Boven aan de trap ging er weer een deur open. En de hand verscheen en wenkte opnieuw.

Nu kon hij de lange, magere vingers beter zien. Ze leken haast te lang om van een mens te zijn. Een vreselijke angst overviel hem, maar hoe hard hij ook probeerde te stoppen, zijn lijf bleef de trap op klimmen. Trede per trede, tot hij helemaal bovenaan voor de deur stond. Zijn hart klopte nu nog sneller dan toen hij hard aan het rennen was. Zijn mond was zo droog als een woestijn.

Langzaam ging hij de kamer in.

Een cirkel van wit licht verblindde hem. Feller en warmer dan de zon.

Alfie knipperde met zijn ogen en kon eindelijk toch een gedaante onderscheiden. Het was een vrouw. Met een haardos als een ijsje met slagroom. Het licht achter haar was zo verblindend fel dat hij alleen haar silhouet kon zien.

'Hallo, Alfie,' zei ze met de zangerige stem die hij al heel goed kende. 'Ik verwachtte je al ...'

17

Kom maar bij mammie

Alfie had zelfs de klink niet aangeraakt en toch ging de deur achter hem langzaam helemaal dicht. Hij hoorde het geluid van een sleutel die omgedraaid werd. Nu zat hij opgesloten.

'Geweldig! Klokslag twee uur! Je bent stipt op tijd voor je afspraak! Kom maar binnen ...'

De stem van juffrouw Wortel leek Alfie te hypnotiseren. In zijn hoofd wist hij heel goed dat hij er nu vandoor moest gaan, maar zijn benen dwongen hem naar voren. Langzaam maar zeker schuifelde hij naar haar toe.

'Kom maar bij mammie ...' fluisterde ze.

Terwijl hij naar haar toe schoof, zag hij dat het felle licht van een bureaulamp kwam. En nu hij tussen juffrouw Wortel en de lamp stond, kon hij haar duidelijker zien. Hij keek naar haar op en het eerste wat hem weer opviel, waren haar onvoorstelbaar schitterend witte tanden. Zo groot als de ivoorkleurige toetsen van een vleugelpiano. En het volgende waren haar ogen. Die ogen. Die zwarte ogen. Die ogen waren zo zwart dat het leek alsof je je eigen dood zou zien als je er te diep in keek.

Ineens voelde Alfie zich in de stoel van de tandarts glijden. Die zag er oud uit, een beetje antiek.

'Wees maar niet bang, kleine Alfie, mammie zal je zachtjes behandelen, beloofd ...'

Zodra Alfie in de stoel zat, voelde hij die in de juiste stand kantelen. Hij keek naar de ene kant. Daar stond haar rolwagentje weer, nu met een heleboel tandartsenspullen erop. Sommige waren roestig en hadden oude, afgesleten, verkleurde handvatten. Op andere zaten vlekken gedroogd bloed. Alles bij elkaar zag het er eerder als een museum van middeleeuwse foltertuigen uit dan als een hedendaagse behandelkamer van een tandarts.

Er lagen spuiten met korte naalden en spuiten met lange naalden. Er lagen beitels. Hamers. Tangen. Iets wat op een reusachtige kurkentrekker leek. Zelfs een kleine ijzerzaag. En helemaal achteraan, alsof ze de belangrijkste plaats opgeëist had, lag een reusachtige, boosaardige boor.

Niet één van die werktuigen zag eruit alsof het bestemd was om pijn te verzachten. Ze zagen er allemaal uit alsof ze pijn zouden veroorzaken. Hartkloppenstoppende*, tranenverwekkende**, billentegenelkaarknijpende*** pijn.

Alfies ogen schoten door de kamer. Het was een vrij kale ruimte. Aan een muur hing een tandartsendiploma dat er

* Waarschuwing! Verzonnen woord.
** Waarschuwing! Verzonnen woord.
*** Waarschuwing! Verzonnen woord.

belangrijk uit moest zien, maar door het vergeelde papier en de verschoten letters leek het daar al honderden jaren te hangen.

Verder hingen er overal antieke rekken met geneesmiddelen, maar vooral met tubes van de erg giftige tandpasta van juffrouw Wortel. In een hoek van de kamer stond een lange, glanzende, grijze metalen cilinder. Die zat vast vol lachgas,

want dat gebruiken tandartsen vaak om de pijn van hun patiënten te verzachten. Vreemd genoeg hing op de knop iets wat op een snelheidsmeter leek. Er stond het volgende op:

TRAAG

GEMIDDELD

SNEL

HEEL SNEL

ECHT TE SNEL

LIEVE HEMEL,

LAAT DIT DING

METEEN STOPPEN

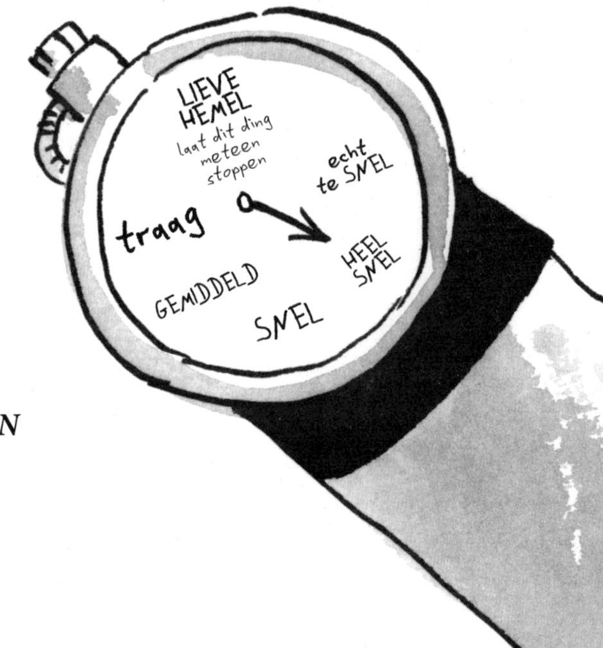

De ruiten van de behandelkamer waren allemaal zwart geverfd, zodat niemand erdoorheen kon kijken.

‘SSSSSSsssssssssssssssshhhhhhhhhhhhhhhhh!’

Alfie schrok en keek naar beneden. Een witte kat met glanzende vacht was de behandelkamer in geslopen. Ze blies in de

richting van de jongen, kromde haar rug, stak haar staart in de lucht en kwam op de roze kussentjes van haar pootjes dichterbij getrippeld.

'Let maar niet op Hoektand. Ze wil alleen maar vriendelijk zijn. Hou je maar kalm, jongen. Laat mammie je maar goed verzorgen ...' De zangerige stem van juffrouw Wortel klonk bezwerend.

De tandarts trok ergens achter de hoofdsteun van de achterovergezakte stoel aan een hendel. En in een oogwenk schoten er metalen klemmen tevoorschijn, die Alfies handen en voeten op hun plaats moesten houden.

'Wees maar niet bang, jongen. Die zijn er alleen maar voor je eigen veiligheid. Zo kun je niet uit de stoel tuimelen ...!'

Met een glimlach trok juffrouw Wortel latex handschoenen aan. Rustig, alsof ze genoot van het ritueel, trok ze de kunststof over elke lange, dunne vinger.

Daarna keek ze naar aantekeningen op een steekkaart met een paar bloedspatjes erop. 'Alfie, ik zie hier dat het al zes lange jaren geleden is dat je nog bij een tandarts geweest bent ... Ts, ts, ts ...'

Ze legde de kaart neer en trok de lamp heel dicht bij zijn gezicht. Het voelde zo heet als vuur. 'Doe maar wijd open, als een grote jongen ...'

Haar ogen staarden nu diep in die van Alfie. Hij wilde heel hard schreeuwen, maar het lukte niet. Zich verzetten had geen zin. Haar zwarte ogen leken hem te verlammen.

Het leek wel alsof ze hem in trance brachten.

Zijn mond was droog van de angst en de latex handschoenen van de tandarts piepten toen ze haar wijsvingers over de bovenkant van zijn tanden liet glijden. Hij kon nu ook haar koude adem op zijn gezicht voelen, want ze leunde over hem heen om in zijn mond te loeren.

'Tandsteen, tandbederf, tandaanslag, aangetast tandvlees. Verrukkelijk. Echt verrukkelijk ...!'

Ze koos een van de ouderwetse instrumenten uit en Alfie hoorde ze tegen elkaar klingelen: kling **klang**.

'Nu gaat mammie kijken of er ook ergens gaatjes zitten,' vervolgde ze.

Ze pakte een instrument dat er echt heel onheilspellend uitzag. Het leek meer op een harpoen dan op een werktuig van een tandarts. Er zat een hele rij scherpe pieken aan, de volgende altijd breder dan de vorige. Het zag eruit alsof het heel wat pijn zou veroorzaken als het in een tand drong en nog meer als het eruit getrokken werd.

'Wees maar niet bang,

Alfie, je zult er niets van voelen ...' zong juffrouw Wortel eentonig.

Ze stak het werktuig in zijn bevende mond en stootte het in een tand. 'Hm ... Verschillende rotte plekken in deze tand ... Wat heb jij een interessante mond!' Ze trok het instrument langzaam uit de tand en ondertussen draaide ze ermee.

In zijn hoofd schreeuwde Alfie het uit, maar er kwam geen enkel geluid uit zijn mond.

kling **klang**. Ze legde het werktuig terug op het roltafeltje.

kling **klang**. Ze pakte een ander.

Nu was de tang aan de beurt om haar te helpen bij het folteren. De kaken ervan waren verschrikkelijk scherp en gekarteld.

'Blijf nu maar heel stil zitten, Alfie ...' fluisterde juffrouw Wortel en ze stak de tang langzaam in zijn mond.

De kaken van de tang sloten zich om een tand. 'Mammie zal je geen pijn doen ...'

Ze rukte hard aan het werktuig. Alfie voelde iets loskomen in zijn mond. En ineens, door een dik tranenwaas heen, zag hij dat de tandarts met een bloederige tand voor zijn ogen stond te zwaaien ...

‘Kijk!’ riep ze opgetogen. ‘Voor jou is het gewoon een tand. Voor mij lijkt het wel een diamant. Hij is zo lelijk dat hij mooi wordt. Gewoon prachtig.’ Daarna riep ze haar witte kat. ‘Hoektand?’

Het dier wipte op van de vloer en landde op Alfies buik. Haar scherpe klauwen drongen in zijn vel. Ze begon het bloed van de tand te likken, dat op de pols van haar vrouwtje sijpelde.

‘Rustig maar, Alfie,’ zei juffrouw Wortel opgewekt. ‘Mammie is nog maar net begonnen ...!’

18

Kampioen gekke-bekken-trekken

Alfie was waarschijnlijk van zijn stokje gegaan.

Zijn ogen waren gesloten.

Misschien had hij gedroomd.

Hij deed zijn ogen open.

Eerst zag hij alleen maar vage dingen. Kleuren en vormen. Een paar tellen later begreep hij dat hij naar het plafond lag te staren. Die kleuren en vormen waren bloedspatten. Sommige zagen er erg vers uit, nog vochtig en glanzend. Andere waren bruin en schilferachtig, alsof ze daar jaren geleden al opgedroogd waren.

Het was geen droom.

Alfie voelde dat hij nog altijd op de antieke stoel van de tandarts lag. Hij lag daar vast al een hele tijd, want zijn rug was erg warm en klam van het zweet.

Hij zag juffrouw Wortel niet, maar hoorde wel haar zangerige stem. Ze was nu aan het tellen. '... achttien, negentien, twintig ...'

Wat was ze aan het tellen? Bij elk getal hoorde hij een geluidje. Zacht en ononderbroken, alsof er steentjes op een metalen bord vielen.

'Eenentwintig!'

Het laatste getal werd heel zwierig uitgesproken. En weer hoorde hij het tinkende geluid van iets wat op metaal viel.

Eenentwintig wat? vroeg Alfie zich af.

Hij voelde dat er iets aan hem veranderd was, maar kon niet begrijpen wat het was. Hij begon met zijn tenen. Hij wriemelde ermee. En vanaf daar ging hij in gedachten almaar hoger.

Enkels V
Knieën V
Handen V
Ellebogen V
Schouders V
Nek V

Daarna bewoog hij zijn tong door zijn mond. Die leek nu veel groter. En soepeler. Hij duwde zijn tong tot in de verste hoeken van zijn mond. Hij durfde te zweren dat hij gaten voelde. Gaten zo groot als de ingang van grotten.

En nu begreep hij het ineens.

Hij had geen tanden meer.

De metalen boeien die om zijn polsen en zijn enkels gezeten hadden, waren weer in de stoel verdwenen. Hij sprong overeind en bonkte met zijn hoofd tegen de reusachtige lamp die in zijn mond geschenen had. Hij zwaaide zijn benen uit de stoel en sprong op de vloer.

Op het rolwagentje lag ook een vuile, oude, gebarsten spiegel. Alfie pakte die op en hield hem voor zijn gezicht. Hij wist zeker dat de tandarts achter hem stond, maar nergens in de spiegel was ze te zien. Hij deed zijn mond langzaam open en zag alleen maar een donker gat. Zijn tandvlees was leeg en gezwollen. Het enige wat hij nog zou kunnen doen, was gekkebekkentrekker worden, bedacht hij. (Gekke bekken trekken is een heel oude kunst. Echte kampioenen hebben vaak geen tanden of laten ze allemaal trekken om hun mond beter te kunnen bewegen.)

Alfie bewoog zijn gezicht voor de spiegel. Hij schrok zich bijna een ongeluk toen hij zag wat hij nu allemaal kon uitbeelden …

Een vis.

Een man die op zijn
eigen neus zuigt.

Een oude vrouw die
een vlieg ingeslikt heeft.

Een walnoot.

Een sufferd.

Een kikker die
wil tongzoenen.

'Zijn we eindelijk wakker ...?' zei juffrouw Wortel opgewekt. In een hoek van de kamer draaide ze zich naar hem toe en haar grote tanden flikkerden.

'WAT HEBT U MET MIJN TANDEN GEDAAN?' riep Alfie.

Nou, dat was toch wat hij probeerde te roepen. Het klonk eerder als: **'A HE U ET IJN ANNE EAAN?'**

'Wat zeg je?'

Alfie probeerde opnieuw. 'A E U E EN ANNE AAN?'

'Het spijt me heel erg, jongen, maar ik heb er geen woord van verstaan. Is er iets?'

'ATUULIJK IF E IET!' schreeuwde de jongen. **'WAA FIJN ME TANNE GEBLEFE?'**

'Ik versta er nog altijd niets van! Wil je het even opschrijven voor mammie?'

De tandarts reikte hem een paar afsprakenkaarten aan en hij begon woedend te schrijven.

WAT U MET
MIJN TANDEN GEDAAN?

De letters waren erg groot en duidelijk neergekrabbeld door iemand die heel erg boos was.

Juffrouw Wortel keek er een paar tellen naar. 'Hm, ik denk dat je bedoelt: Wat HEBT u met mijn tanden gedaan?'

Alfie kookte nu van woede. Hij was er zeker van dat juffrouw Wortel heel goed wist wat hij bedoelde. Het was natuurlijk weer een van haar manieren om hem langzaam te martelen.

'A HHEE UUU DAAN E IJN TAAAANE!!!!!'

'Alsjeblieft, roep niet zo tegen mammie ...'

Alfie keek haar recht in haar ogen. Zij hield zijn blik vast. En staarde terug. De pupillen van haar ogen glansden zwart. Eigenlijk waren ze zwarter dan steenkool. Zwarter dan roet. Zwarter dan de nacht. Zwarter dan het zwartste zwart.

Kortom, ze waren zwart.

'Dus, wat heb ik met je tanden gedaan ...?'

Alfie knikte verschillende keren ja, elke keer nog woedender dan de vorige. Hoektand zat boven op het rolwagentje en begon kort en scherp te blazen, alsof ze hem uitlachte. Sshhh ... sshhh ... sshhh ...

'Maak je maar geen zorgen, jongen. Mammie heeft ze veilig voor je bewaard. Al je leuke tandjes liggen hierin ...' De tandarts bracht voorzichtig een metalen kommetje naar

zijn oor en schudde er zachtjes mee.

Alfie loerde in het kommetje. Daar lagen zijn tanden. Allemaal. Bedroevend op een hoopje. En hij moest toegeven dat ze er inderdaad niet erg gezond uitzagen. De jaren dat hij niet naar de tandarts geweest was, hadden hun tol geëist. Ze zaten allemaal vol bruine vlekken door heel veel snoepjes en frisdrank. Maar had de tandarts ze daarom echt allemaal moeten trekken?

Ineens begreep hij wat ze geteld had. Zijn tanden.

(Normaal heeft een jongen van twaalf jaar vierentwintig tanden, maar Alfie had er een paar minder. Jaren geleden had meneer Voormalig, die in verdachte omstandigheden aan zijn einde gekomen was, er eentje getrokken. En daarna waren er nog een of twee uitgevallen.)

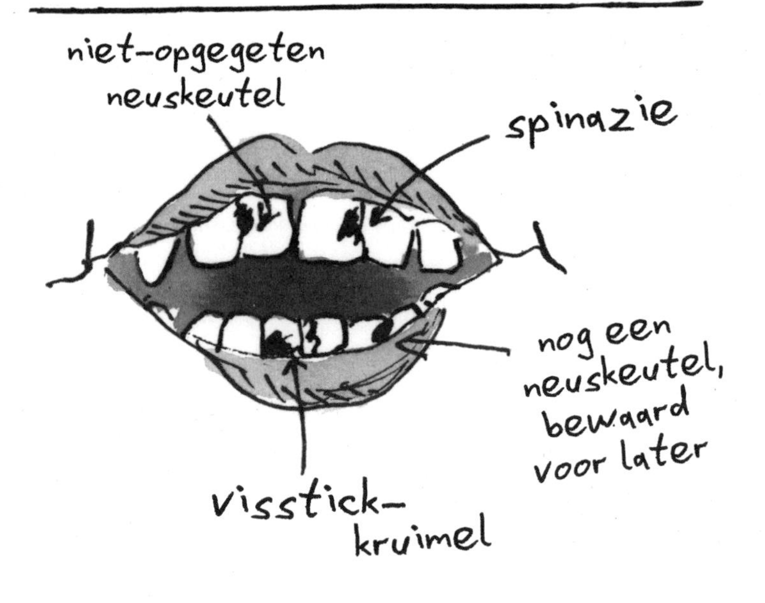

‘A GA U DOE?’

‘Zou je het heel erg vinden om het nog een keertje op te schrijven voor mammie?’ Juffrouw Wortel wees weer naar de afsprakenkaarten.

En weer begon Alfie woedend te krabbelen.

WAT GAAT U NU DOEN?

schreef hij.

De tandarts bestudeerde ook dat even. ‘Is dat een G of een Y?’

Alfie gromde naar haar.

Juffrouw Wortel las de zin hardop. '"Wat gaat u nu doen?" Mammie heeft goed gelezen wat er staat, hè ...?'

Alfie knikte en ze fronste nadenkend haar wenkbrauwen. 'Nou, normaal begin ik aan het eind van een behandeling aan mijn gewone verhaal: kom over zes maanden terug, vergeet niet te flossen, denk er eens over na of je niet beter een elektrische tandenborstel zou kopen, blablabla ... Maar jij hoeft dat allemaal niet te doen, Alfie. Want je hebt geen tanden meer en je zult er ook nooit meer hebben.' De tandarts leidde de arme tandeloze jongen de behandelkamer uit. 'Goedemiddag!' zei ze nog opgewekt.

19

Bevroren briefjes

Alfie voelde zich verloren. Hij wist waar hij was, maar hij wist niet waar hij nu heen kon.

Naar huis? Hij wilde niet dat zijn vader hem zo zou zien. Dat zou hem erg overstuur maken.

Naar school? Zelfs in het beste geval zou dat geen geschikte plek zijn. De jongen zonder tanden. Zo zou hij voortaan genoemd worden. Voor altijd. Zelfs een beugel of grote voortanden – die aan een konijntje deden denken – waren al erg genoeg.

Alfie begreep dat er maar één plek was waar hij naartoe kon …

DING! deed de bel boven de deur van de krantenwinkel van Raj toen de jongen er naar binnen ging. Door die bel begreep Raj elke keer dat er een klant binnenkwam of wegging. En de bel diende ook om hem wakker te maken. Hij was een dikke, zachtaardige marshmallow van een man. En hoe graag hij ook snoepjes verkocht, hij at ze nog liever zelf op. Rond drie uur 's middags begon hij te smikkelen en door de plotselinge opstoot van suiker in zijn bloed viel hij weleens in slaap met zijn hoofd op de toonbank.

En inderdaad, ook die middag, toen Alfie binnenkwam, lag Raj te snurken met nog een toverbal in zijn mond. Een sliert speeksel was vanaf zijn mond over een paar kranten gelopen.

Raj schoot wakker en spuwde het snoepje uit. 'Ah, Alfred, jongeman! Mijn favoriete klant!' Zijn stem klonk zo fris en kleurrijk als het snoepgoed dat hij verkocht eruitzag.

Alfie keek er altijd naar uit Raj weer eens te zien. De krantenverkoper wist hoe arm hij en zijn vader waren en hij was zo goedhartig dat hij Alfie af en toe gewoon iets gratis meegaf. Een half gesmolten ijslolly, een reep chocolade waar een knaagdier wat aan geknabbeld had, of een zakje goudbeertjes waar Raj per ongeluk op was gaan zitten, zodat de kleine hummeltjes helemaal platgedrukt waren. Raj was niet rijk en meer dan dat kon hij niet weggeven. Maar voor Alfie en zijn vader leken het wel geschenken uit de hemel, waardoor ze soms niet met een lege maag naar bed hoefden.

Maar die dag kon er bij Alfie zelfs geen glimlachje af.

'Je bent vanmiddag erg stil, jongeman,' merkte Raj op. Hij kneep zijn ogen tot spleetjes en keek aandachtig naar zijn favoriete klant. Eigenlijk had hij een heleboel 'favoriete' klanten, maar doordat hij hen allemaal zo noemde, voelden ze zich altijd bijzonder. 'Je ziet er vandaag ook heel anders uit ...'

Hij kwam vanachter de toonbank en keek nog scherper naar de jongen. 'Je hebt een permanent laten zetten. Nee, nee, nee ...' Die gedachte werd net zo snel verworpen als ze gedenkt* was. 'Hm ... Je hebt zo'n veel te oranje spray gebruikt om je huid te kleuren! Nee, nee, nee ...'

Raj boog wat voorover, zodat hij Alfies gezicht heel goed kon zien. Alfie deed zijn mond open en liet hem zijn hele tandelozigheid** zien.

De krantenverkoper tuurde in het gat. 'Ik weet het!' riep hij. 'Ik weet het!'

Alfie knikte aanmoedigend met zijn hoofd. Het moest nu toch wel heel duidelijk zijn.

'Je hebt je tanden laten bleken!'

De jongen rolde met zijn ogen.

'O, nee, nee, nee. Dat is het niet, hè?'

* Waarschuwing! Verzonnen woord.
** Waarschuwing! Verzonnen woord.

Alfie schudde zijn hoofd.

'Je hebt al je tanden laten trekken!' En onmiddellijk herhaalde Raj wat hij net gezegd had honderd keer harder. En ondertussen keek hij nog een keer goed of het wel juist kon zijn.

'JE HEBT AL JE TANDEN LATEN TREKKEN?!'

De man was zo verbijsterd dat hij moest gaan zitten en hij liet zich op een grote doos chips zakken. Jammer genoeg was hij veel te zwaar voor die doos. In één tel drukte zijn gewicht ze helemaal plat en hij zat op de vloer. De zakjes waren

allemaal ontploft en hele kleine stukjes chips dwarrelden door de winkel.

‘O jee!’ zei Raj en hij probeerde zijn omvangrijke kont van de vloer te hijsen. ‘Herinner me eraan dat ik de prijs van die chips met een paar centjes moet verlagen,’ voegde hij eraan toe terwijl hij moeizaam opkrabbelde. ‘Maar waarom toch, jongen? Waarom? Waarom heb je al je tanden laten trekken?’

Alfie had al besloten voorlopig maar niet meer te praten. Hij deed alsof hij schreef, het internationale gebaar voor ‘pen en papier’.

‘De rekening?’ raadde Raj. ‘Nee! Nee! Pen en papier! Ik ben goed in raadseltjes!’ Hij begon door zijn winkel heen en weer te lopen, op zoek naar papier en een pen.

Zijn winkel was in de stad berucht omdat die echt onvoorstelbaar rommelig was. Het was er altijd moeilijk om te vinden wat je zocht, zelfs voor de winkelier zelf.

‘Ik denk dat er wat gele zelfklevende briefjes in het vriesvak liggen, onder de chocolade-ijsjes ...’ Hij schoof het glas opzij en stak zijn hand in de vriezer. ‘Ik herinner me niet waarom ik ze daar gelegd heb,’ mompelde hij. ‘Maar goed, ze zijn tenminste niet beschimmeld ...’

Ineens schoot hij naar de andere kant van de winkel. 'Een pen!' riep hij uit. 'Ik denk dat ik er een paar dagen geleden eentje in een lolly stopte omdat er geen stokje in zat om hem vast te houden. Het was een zwarte viltstift. Zal niet zo lekker zijn als zonder viltstift, moet ik toegeven, maar wel handig.'

Even later vond hij de juiste lolly en trok hij de stift eruit. Die zat natuurlijk helemaal onder de smurrie. 'Lolly?' vroeg hij en hij stak de stift uit naar Alfie. 'Nee?'

Alfie schudde zijn hoofd, dus likte Raj de pen schoon voordat hij hem opnieuw uitstak. 'Smaakt een beetje naar inkt,' zei hij. 'Maar eigenlijk niet slecht. Vertel me nu maar eens, jongeman, wat is er eigenlijk gebeurd?'

Wel honderd bevroren zelfklevende briefjes later kende Raj het hele verhaal. Alfie was toen erg aan het huilen. Het was pas goed tot hem doorgedrongen wat er met hem gebeurd was.

Raj begreep dat de jongen behoefte had aan een knuffel

en hij trok hem tegen zich aan. De krantenverkoper was groot en dik en erg gevoelig. Hij knuffelde goed.

'Arme knul,' zei hij toen Alfies tranen door zijn feloranje hemd drongen. 'Ik ben erg boos op die juffrouw Wortel! Ze ging naar de scholen en deelde zomaar snoepjes uit. Ze heeft me al mijn klanten afgepakt. En nu ik zie wat ze met jou gedaan heeft ...'

De arme jongen kon niet ophouden met huilen. Raj klopte hem zachtjes op zijn rug en Alfie snufte.

'Je mag je neus in dat magazine snuiten. Wacht even, ik heb een idee ...'

20

Tanden uit een carnavalswinkel

'En?' vroeg Raj. 'Passen ze een beetje?'

Hij was naar zijn flat boven de winkel gelopen en had de valse tanden van zijn overleden vrouw in een glas water gehaald om ze de jongen te laten passen. Ze leken een beetje op van die tanden die je in een carnavalswinkel kunt kopen om ze over de tafel te laten klapperen. Maar tot Alfies verbazing pasten ze vrij goed. Niet perfect. Het gebit was gemaakt voor een vrouw van middelbare leeftijd. Het schuurde hier en daar wel wat over zijn tandvlees, maar het was in elk geval beter dan helemaal geen tanden.

'Vind je het echt niet erg me die te lenen?' vroeg Alfie. Hij vond het geweldig dat hij eindelijk weer kon spreken.

'Nee, nee, nee. Mevrouw Raj zou het zeker ook gewild hebben.'

'Heel erg bedankt.'

'Kun je haar glazen

oog, haar rubberen hand of haar houten benen misschien ook gebruiken?'

Alfie was helemaal van zijn stuk gebracht. Hij had wijlen mevrouw Raj helemaal nooit gezien. Al was er blijkbaar niet echt veel te zien geweest.

'Erg vriendelijk van je, maar nee, dank je,' antwoordde hij.

'Geen probleem. Hoort gewoon bij de service. Daarom zouden mensen altijd naar de kleine buurtwinkels moeten gaan. Zoiets wordt je in een supermarkt niet aangeboden.'

'Juist!' zei Alfie. Al wist hij niet zeker of veel klanten van supermarkten een tweedehands kunstgebit zouden willen lenen.

'Maar ik wil je wel aanraden ver uit de buurt van toffees te blijven,' waarschuwde de krantenverkoper hem. 'Ik herinner me dat die tanden een keer gewoon uit de mond van mijn overleden vrouw loskwamen. Ze had toen in een karamel gebeten. De houdbaarheidsdatum daarvan was verstreken en ik had ze haar gegeven voor onze zilveren bruiloft.'

'Ik zal het onthouden ...' zei Alfie. 'Maar hoe zouden we Wortel kunnen dwarsbomen? Mijn tanden waren wel slecht, maar toch niet zó slecht. Ze had helemáál geen reden om ze allemaal te trekken. Ze is door en door slecht!'

'Ik denk er nu ineens aan ...' zei de krantenverkoper nadenkend. 'Sinds zij hier is, doen er vreemde geruchten de ronde in de stad ...'

‘Bijvoorbeeld over kinderen die hun tanden onder hun hoofdkussen leggen en daar ’s morgens iets heel engs vinden?’

‘Precies!’ riep Raj uit. ‘Hoe weet je dat?’

‘Het is mijn vriendinnetje Gabz overkomen …’

‘Je vriendinnetje?!’ koerde Raj. ‘Ooo …’

‘Nee, nee!’ riep Alfie. ‘Ze is mijn liefje niet. Gabz is gewoon een vriend en ze is een meisje.’

‘Je vriendmeisje* dan?’

Alfie wist dat hij Raj maar beter gelijk kon geven. ‘Ja, ik denk het wel. Gabz heeft een kaart getekend en daarop precies aangegeven waar de tanden gegapt werden.’

‘Het is een weerzinwekkende zaak. Toen ik klein was, of toch kleiner dan ik nu ben, en ik verloor een tand, dan legde ik die onder mijn hoofdkussen. En als ik wakker werd, vond ik een geldstukje in de plaats. Van de tandenfee.’

‘Misschien hadden je ouders het daar gelegd,’ opperde Alfie.

Raj keek nu een beetje beduusd. ‘Maar ze zeiden dat het de tandenfee was …’

Alfie zuchtte. Hij was bijna een tiener. In de tandenfee geloven vond hij gewoon stom. Volgens hem was het echt belachelijk te denken dat een gevleugeld wezentje met een tutu en een toverstokje ’s nachts naar je kamer zou komen om een geldstukje onder je hoofdkussen te leggen. Maar hij

* Waarschuwing! Verzonnen woord. (Klachtenbrief naar Raj sturen.)

wilde de krantenverkoper niet kwetsen. 'Tja, misschien zijn het de tandenfeeën wel,' antwoordde hij. 'Maar als die het erg druk hebben, helpen je ouders hen een handje. Vertel maar verder, Raj ...'

'Nou, enkele van mijn jonge klanten vonden toen ze vanmorgen wakker werden geen geldstukje, maar allerlei enge dingen onder hun kussen.'

'Zoals?' vroeg Alfie.

'O, zoals ... kakkerlakken ...'

'En wat nog meer?'

'O, even denken ... Dode pieren, een levende rat, een pad die met een houten hamer platgeklopt was en in de zon had liggen drogen tot ze knapperig was ...'

De jongen sloeg zijn hand voor zijn mond. Hij werd misselijk als hij aan al die vieze dingen dacht. Maar zijn gruwelijke nieuwsgierigheid haalde de bovenhand en hij wilde nog meer horen. 'Was dat alles?' vroeg hij.

'Nee.' Raj ademde diep in. 'Weet je zeker dat je de weerzinwekkelijkste** dingen wilt horen?'

** Waarschuwing! Verzonnen woord.

'Ja en nee,' antwoordde Alfie. 'Maar toch vooral ja ...'

Raj ademde opnieuw diep in en begon te vertellen.

'Een teennagel van een oude man!'

'Nee!' riep Alfie uit.

'Ja. Niemand weet van wie die was. Hij was groot en dik en vuil en op de rand zat opgedroogde etter ...'

'STOP!' riep Alfie.

'Je zei toch dat ik het je moest vertellen!' protesteerde Raj.

'Ja! Maar ik wist niet dat het zo walgelijk zou zijn.' Alfie dacht een paar tellen na. 'En geen één van die kinderen heeft iets gemerkt?'

De krantenverkoper schudde zijn hoofd. 'Geen één. Niemand heeft iets gezien. Het is een mysterie. En hoe kon één persoon in één nacht naar al die kinderen gaan?'

Alfie sprong op de toonbank en ging daar naast de kassa zitten. 'Er moet een verband zijn met juffrouw Wortel,' zei hij. 'Dat moet haast wel! Ik ben er zeker van dat ze boosaardig is. We moeten haar op heterdaad kunnen betrappen! Haar in de val lokken ...' Hij zweeg en staarde voor zich uit.

Raj keek hem aan. 'Een val?' vroeg hij.

‘Ik ben aan het nadenken, Raj …’

‘O, neem me niet kwalijk.’ Raj waggelde even door zijn winkel. ‘Zou je met een muntje beter kunnen nadenken?’

‘Ik heb het!’ riep Alfie. Zijn ogen blonken en hij sprong opgewonden van de toonbank.

‘Wat heb je?’

‘Een plan! Om de tandendief te betrappen!’

‘Geweldig, jongen! Schitterend. Hoe kan ik je helpen?’

Alfie keek hem recht in zijn ogen. Hij wist dat Raj niet graag zou horen wat hij ging zeggen. ‘Het is maar iets heel kleins …’

‘Ja?’ drong Raj aan.

‘Ik wil een van je tanden lenen …’

21

Een vliegende tand

'Een van **MIJN** tanden?' protesteerde Raj.

'Ja,' antwoordde Alfie vastberaden. 'Ik zou er eentje van mij nemen, maar ik heb er geen meer.'

Raj was nog niet overtuigd. 'Waarvoor heb je dan een van mijn tanden nodig?'

Alfie ijsbeerde voor de rekken met snoepjes om alles op een rijtje te zetten. 'Oké. Wat weten we ... Iemand of iets haalt in de stad tanden van kinderen onder hun hoofdkussen vandaan en legt iets vies in de plaats, juist?'

'Ja,' knikte de krantenverkoper.

'Dus vanavond leg ik een tand onder mijn hoofdkussen en dan doe ik alsof ik slaap.'

'Een paar koffiesnoepjes zullen je wakker houden! Ik zal ze voor je uitzoeken tussen de andere smaken.'

'Goed idee. Ik ga in bed liggen met een oog halfopen om te kunnen zien wie of wat ...' De jongen moest even slikken van angst. '... verantwoordelijk is voor al die vreselijke dingen ...'

Raj knikte en wendde zijn hoofd af, alsof hij Alfie niet wilde aankijken. Toen deed hij alsof hij een paar pakjes hoesttabletten recht legde. 'Veel geluk, jongeman. Ik zal je nu maar niet langer ophouden. Fijne dag nog!'

Alfie keek een hele tijd naar hem. 'Raj?' zei hij uiteindelijk.

'Ja?'

'Ben je niets vergeten?'

'Nee, ik denk het niet,' antwoordde Raj veel te snel. 'Ik wil je niet ophouden, dus ...'

'Je tand ...'

Raj keek paniekerig op en kwam naar de jongen toe. 'Ik zou je heel graag een van mijn tanden willen lenen,' zei hij. 'Nou ja, het zou eigenlijk eerder een cadeautje zijn. Maar ...'

'Maar?' drong Alfie aan.

'Ik ben bang dat het pijn zal doen als ik hem uittrek.'

Alfie had in gedachten al verschillende manieren overwogen om een tand van Raj los te krijgen. En de ene manier was nog pijnlijker dan de andere.

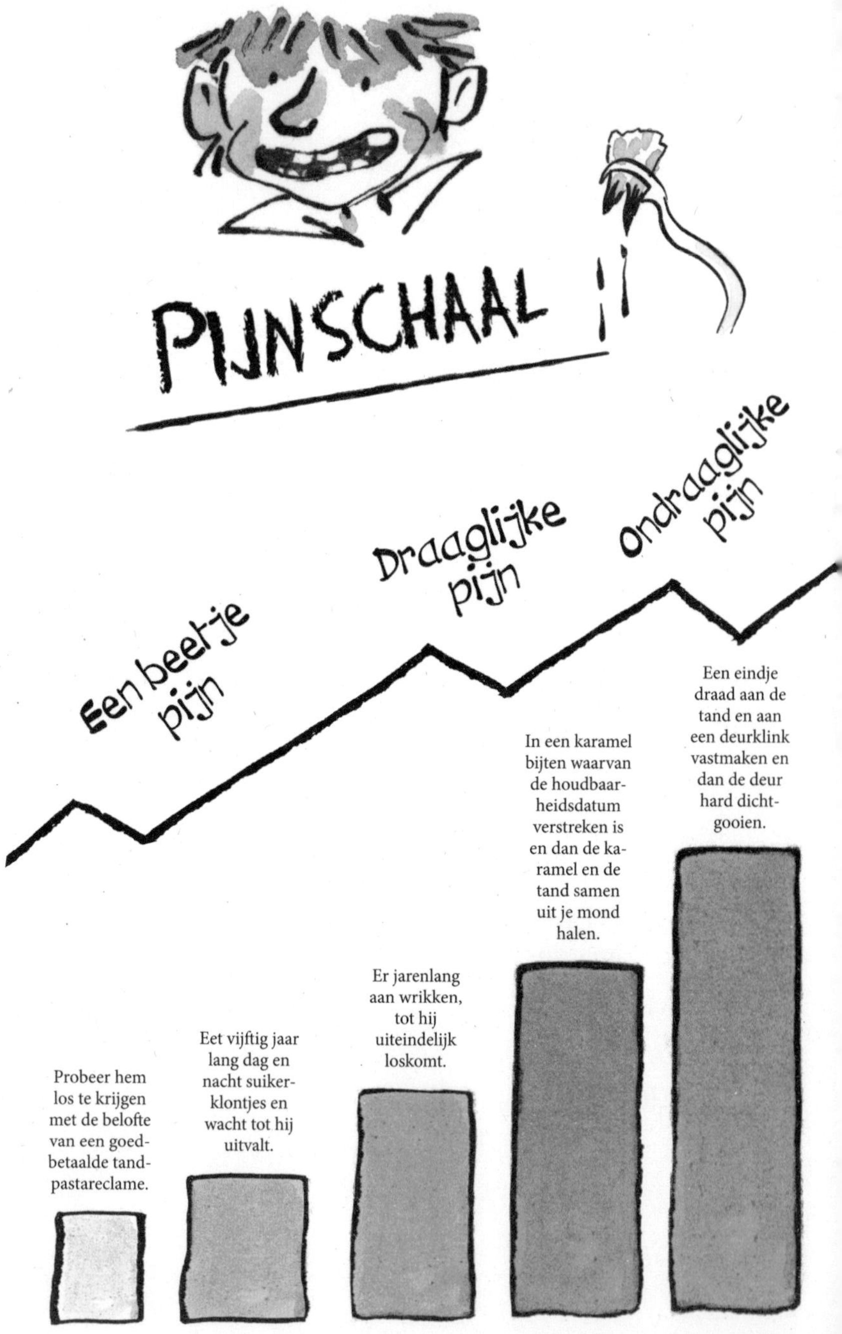

PIJNSCHAAL

Een beetje pijn

Draaglijke pijn

Ondraaglijke pijn

Probeer hem los te krijgen met de belofte van een goedbetaalde tandpastareclame.

Eet vijftig jaar lang dag en nacht suikerklontjes en wacht tot hij uitvalt.

Er jarenlang aan wrikken, tot hij uiteindelijk loskomt.

In een karamel bijten waarvan de houdbaarheidsdatum verstreken is en dan de karamel en de tand samen uit je mond halen.

Een eindje draad aan de tand en aan een deurklink vastmaken en dan de deur hard dichtgooien.

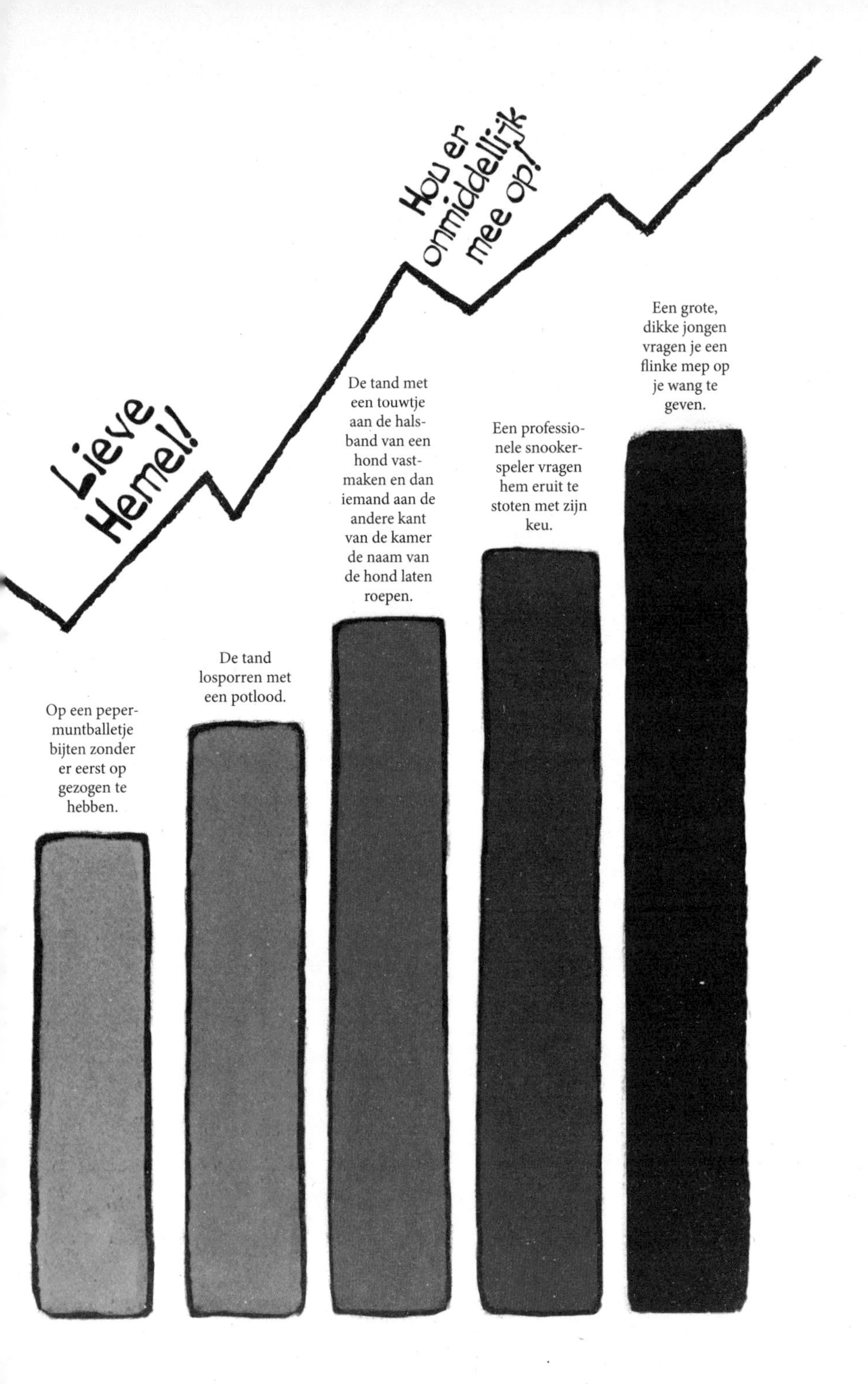
Lieve Hemel!
Hou er onmiddellijk mee op!
Op een pepermuntballetje bijten zonder er eerst op gezogen te hebben.
De tand losporren met een potlood.
De tand met een touwtje aan de halsband van een hond vastmaken en dan iemand aan de andere kant van de kamer de naam van de hond laten roepen.
Een professionele snookerspeler vragen hem eruit te stoten met zijn keu.
Een grote, dikke jongen vragen je een flinke mep op je wang te geven.

De tand aan een klink vastmaken en dan de deur dichtslaan leek verreweg de beste oplossing. Zeker omdat het maar een seconde zou duren. En ook omdat Raj draad verkocht. Die lag natuurlijk onder de magazines voor bodybuilders.

Met tegenzin ging Raj akkoord met Alfies voorstel.

Eerst maakte de jongen de draad vast aan een tand van de krantenverkoper.

Vervolgens moest Raj achter zijn toonbank gaan staan en mat Alfie zorgvuldig de afstand vanaf Raj tot de openstaande deur.

En ten slotte maakte hij de draad vast aan de klink van de deur.

'Oké, Raj, blijf maar heel stil staan,' zei hij. 'Ik tel af van drie en bij één gooi ik de deur dicht. Akkoord?'

Raj had zijn gezicht verwrongen in afwachting van de pijn. 'Ja ...' zei hij en er verschenen al tranen in zijn ogen.

Alfie begon traag af te tellen. 'Drie ... twee ...'

Maar voor hij één kon zeggen, kwam er een oud vrouwtje binnen door de open deur en ze duwde die achter zich dicht.

'AAAAAAAAAAAAAA
AAAAAAAAAAAAAAA
AAAAAAAAAAAAAAA
AAAAAAAAAAAAAAA
AAAAAAAAAAAAAAAAAA
AAAAAAAAAAAAAAAAAA
AAAAAAAAAAAAAAAUUUUU
UUUUUUUUUUUUUUUUUUUUU
UUUUUUUUUUUUUUUUUUUUU
UUUU!!!!!!!!!!!!!!!!!!!!!!' schreeuwde Raj.

Zijn tand vloog door de winkel en tegen het hoofd van het arme oude vrouwtje.

'Je zei één!' protesteerde de winkelier. 'Je zei dat je de deur bij één zou dichtslaan!'

Alfie liep naar de oude vrouw toe. Ze wreef over haar voorhoofd en zag er erg duizelig en verward uit.

'Gaat het wel?' vroeg Alfie.

'Ja, dank je wel, jongen. Ik kwam gewoon binnen voor een kraslootje en een zakje snoep ...'

'Ah, mevrouw Morrissey, mijn favoriete klant ...' Raj herstelde zich en bracht de vrouw het lootje en de snoep.

'Alstublieft! En wees maar gerust, mijn vliegende tand op uw hoofd, dat was helemaal gratis!'

Helemaal van de wijs gebracht, pakte de oude vrouw haar portemonnee en ze gaf hem het geld. Daarna begeleidde hij haar vriendelijk naar de deur.

Ondertussen raapte Alfie de draad op. Hij glimlachte toen hij zag dat de tand van Raj er nog aan hing. Hij keek even naar de kerfjes en de vlekken en stopte hem toen in zijn zak. 'Dank je wel, Raj. Die wordt het lokaas!'

'Ik wens je heel veel geluk toe, jongeheer Alfred. En ik

reken erop dat je morgenvroeg meteen hierheen komt om me te vertellen of je vannacht iets gezien hebt.'

'Zal ik doen.'

Raj haastte zich terug naar zijn toonbank en begon snel te rommelen tussen de snoep. De snoepjes met koffiesmaak haalde hij uit de pakjes en stopte hij in een papieren zak. Daarna maakte hij de pakjes weer dicht met een lijmstick. 'Ik was het bijna vergeten! Hier heb je de snoepjes met koffiesmaak om je wakker te houden. Er kunnen er ook wel een paar met rozijnensmaak bij zijn, want die hebben dezelfde vorm ...'

Hij gaf de papieren zak aan de jongen, maar hield hem nog even vast en keek Alfie recht in zijn ogen. 'Alsjeblieft, jongen, wees voorzichtig!' fluisterde hij.

'Zal ik doen, Raj.'

DING!

Alfie trok de deur open om te vertrekken.

'O, er is nog iets ...' fluisterde Raj.

'Ja?'

'Zeg tegen niemand dat ik met die snoepzakjes geknoeid heb!'

22

Een gigantische ijscoupe

'En hoe is het afgelopen bij de tandarts?' vroeg Alfies vader met krakende stem. Hij kon weer heel slecht ademen. 'Had je een gaatje?'

Hij zat in zijn rolstoel in de woonkamer toen Alfie door de voordeur binnenkwam. Het was ongeveer vier uur, het gewone uur waarop de jongen van school kwam. Pap had dus geen enkele reden om achterdochtig te zijn.

'O, het ging goed, dank je, pap,' riep Alfie zo opgewekt als hij kon. De valse tanden klapperden een beetje in zijn mond.

Hij kon zien dat de gezondheid van zijn vader er elke dag op achteruitging. De man werd almaar zwakker, alsof hij zat te krimpen in zijn rolstoel. Alfie was bang dat hij boos zou worden als hij hem de waarheid vertelde. Heel erg boos. Zijn vader zou meteen naar de tandarts toe willen om het uit te vechten. Als hij begon te roepen of zelfs maar wat harder begon te praten, zou hij nog moeilijker kunnen ademen. Misschien zou hij zelfs weer flauwvallen. Dat mocht Alfie niet laten gebeuren.

Onbeholpen slenterde de jongen de kamer in. Als hij van school kwam, gaf hij zijn vader altijd een stevige knuffel, maar nu bleef hij bij de deur staan treuzelen. Hij wilde niet dat zijn vader zijn tanden zou willen bekijken. Nou ja, de tanden van wijlen mevrouw Raj. Haar valse tanden, natuurlijk.

'Geen knuffel vandaag, pup?' vroeg zijn vader. Dat zijn zoontje met die gewoonte brak, maakte hem achterdochtig.

'Ik wilde net thee gaan zetten ...'

'De thee kan wachten. Ik heb hier de hele dag helemaal alleen gezeten en uitgekeken naar onze knuffel. En ik wil er graag een stevige, onstuimige. De stevigste, knuffelste* knuffel die je me kunt geven!'

Alfie deed voorzichtig zijn mond dicht en zoog de valse tanden van wijlen mevrouw Raj op hun plaats over zijn tandvlees. Daarna liep hij door de kamer naar zijn vader toe. Daar boog hij over de rolstoel en legde hij zijn armen om zijn vader heen.

De man trok hem tegen zich aan. 'Ja, zo is het goed. Wat hou ik toch veel van mijn kleine pup ...'

Door tegen zijn vader te liegen voelde Alfie zich erg ongemakkelijk. Een vreselijk gevoel, dat tot diep in zijn buik drong. Beschaamd en verlegen probeerde hij zich al snel los te maken uit de armen van zijn vader.

Maar ouders weten het altijd als er iets scheelt met hun

* Waarschuwing! Verzonnen woord.

kinderen. Ze voelen dat. En Alfies vader voelde het ook.

'Weet je wel zeker dat er niets is?' vroeg hij en hij keek zijn zoon recht in zijn ogen.

'Nee. Ik bedoel ja ...' stamelde Alfie en hij probeerde de ogen van zijn vader te ontwijken. 'Ja, ik weet het zeker. Er is niets. Het ging goed bij de tandarts.'

'Laat me je tanden eens zien ...'

Met tegenzin deed Alfie zijn mond open. Hij glimlachte heel even stralend en deed zijn mond vlug weer dicht. 'Zie je wel? Als nieuw!'

'Hm, ze zien er inderdaad beter uit,' zei pap.

'Ik ga theewater opzetten.' Alfie stoof van de woonkamer naar de toch wat veiligere keuken.

Hij zette de zwart geworden aluminium ketel op het campingbrandertje in het midden van het vertrek en stak het gas aan. De gasleiding was jaren geleden al afgesloten. Rekeningen met rode letters hadden rekeningen met zwarte letters vervangen en op een dag kwamen er helemaal geen rekeningen meer. En ook geen gas. Doordat zijn vader al erg lang niet meer kon werken, hadden ze niet genoeg geld meer om alles te betalen.

Terwijl hij wachtte tot het water kookte, stak hij zijn hand in zijn zak. Hij wilde voelen of de tand er nog was die Raj zo bereidwillig afgestaan had om zijn plan te laten slagen. Hij slaakte een zucht van opluchting toen hij de tand voelde. Nu hoefde hij alleen nog te wachten tot het donker was.

En natuurlijk ook wakker proberen te blijven …

Net toen de ketel floot, begon het gas te sputteren. Het water kookte, maar er was helemaal geen gas meer. Het zou voor een hele tijd hun laatste kopje thee worden.

Alfie liep terug naar de woonkamer met twee kopjes thee. Maar zonder koekjes, want de vorige dag had de maatschappelijk werkster ze allemaal opgegeten.

'Dank je wel, jongen,' zei pap.

Alles leek weer in orde, maar …

KLOP KLOP KLOP.

Er klopte iemand op de deur.

Alfies hart sloeg een slag over. Er werd hard en dwingend geklopt. Kwam meneer Grijs, de schooldirecteur, pap vertellen dat zijn zoon weggestuurd was? Was het agent Oen, die hem kwam arresteren vanwege de opschudding die hij in de stad veroorzaakt had? Of was het meneer Snood, de dramaleraar, die nog altijd hoopte de impro te kunnen voortzetten?

'Klinkt als Winnie …' zei pap.

Nee! dacht Alfie. Ik kan haar niet binnenlaten! Ze zal hem alles vertellen!

'Ik zal vragen of ze later wil terugkomen,' zei hij.

'Nee, jongen,' zei pap beslist. 'Laat haar binnen. Ze is echt bekommerd om je. Ze komt vast maar even langs om te vragen hoe je je voelt na je bezoek aan de tandarts.'

KLOP KLOP KLOP KLOP KLOP . . .

'Laat haar binnen!' zei pap opnieuw.

Alfie rende naar de deur. Hij moest haar proberen tegen te houden, haar af te schepen, om het even wat. Door het gemarmerde glas zag ze er in haar kleurrijke kleren uit als een gigantische ijscoupe met slagroom. Alfie ademde diep in en duwde op de klink.

‘Ah! Hallo, Alfred! Daar zijn we weer!’

‘Het spijt me, Winnie, dit is geen goed moment …’ fluisterde hij.

‘Het is wel goed, ik blijf niet lang,’ zei ze. ‘Heel even praten met meneer Griffel en ik ben weer weg.’ Ze liep gejaagd langs hem heen. Doordat ze maatschappelijk werker was, had ze veel ervaring met mensen die haar niet in de buurt wilden hebben.

Bemoeial.

Betweter.

Brutaal nest.

Opruier.

Wereldverbeteraar.

Lastpost.

Herrieschopper.

Druktemaker.

Bazige tante.

Koekjespikker.

Al die scheldnamen had ze al naar haar hoofd geslingerd gekregen. En nog ergere. Veel ergere. Het gevolg was dat ze een olifantshuid gekregen had en het helemaal gewend was dat mensen soms de deur voor haar neus dichtsloegen.

Behoorlijk snel holde ze nu door de gang. Alfie kon niets anders doen dan haar op de voet volgen.

‘Alsjeblieft, alsjeblieft, alsjeblieft, vertel pap niet wat er vandaag gebeurd is ...’ Hij fluisterde nu wat harder. Het leek wel roepend fluisteren, mocht dat kunnen.

Maar Winnie leek zich niets aan te trekken van zijn gesmeek. ‘Goedemiddag, meneer Griffel!’ riep ze enthousiast toen ze de woonkamer in liep.

Paps gezicht vertrok een beetje. Zelfs hij vond haar een heel klein beetje vervelend en haar stem een tikkeltje te luid.

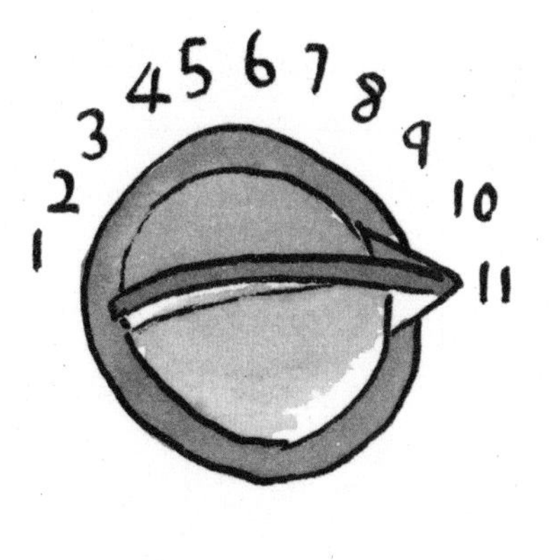

Hij knipperde met zijn ogen toen hij zag wat ze nu weer aangetrokken had. Ze had zichzelf echt overtroffen. Haar kleren, sieraden en make-up hadden meer kleuren dan er in een megadoos kleurpotloden zaten.

‘Ah! Thee! Dank je vriendelijk!’ Ze pakte Alfies kopje op en slurpte.

SSSSSSSSSSSSSSSSSSSSSSSSSSSLL
LLLLLLLLLLLLLLLLLLLLLLLLLLLL
LUUUUUUUUUUUUUUUUUUUUUUUR
RRRRRRRRRRRRRRRRRPPPPPP
PPPPPPPPPPPP!!!!!!

Daarop volgde een nog hardere zucht en toen liet ze zich met haar volle gewicht op de sofa vallen. Die raakte ze met zo veel kracht dat er een geweldige wolk stof uit de kussens de lucht in vloog.

'Ga zitten, Winnie ...' waagde pap te zeggen, een paar tellen te laat.

'Pap, alsjeblieft, luister niet naar haar, ik kan het allemaal uitleggen!' zei Alfie, die nog paniekerig in de deuropening stond.

'O, ik kan haast niet wachten om het te horen!' verklaarde Winnie.

'Alfie heeft me eigenlijk helemaal niets verteld over zijn bezoek aan de tandarts,' zei pap. 'Misschien kun jij me vertellen wat er gebeurd is, Winnie?'

'Pap, geloof me alsjeblieft,' smeekte de jongen. 'Ik zou het je wel verteld hebben ...'

'O, meneer Griffel, het is een heel verhaal,' zei Winnie. 'Echt een heel verhaal ...'

Alfie was ervan overtuigd dat ze hem met zijn hoofd naar beneden in een enorme ton ging laten vallen, waarop *Problemen* stond.

'Even wat makkelijker gaan zitten.' Ze schudde de kussens achter haar rug op en strekte haar benen uit. 'Het zal wel even duren ...'

23

Een ontplofbaar achterste

‘Voor ik begin …’ zei Winnie en ze lag nu op de sofa zoals Cleopatra, Koningin van de Nijl. ‘Voor ik begin, zou ik een van je overheerlijke koekjes willen …’

Sinds paps ziekte hem aan een rolstoel gekluisterd hield, was Alfie verantwoordelijk voor de boodschappen. Hij wist heel zeker dat er in het hele huisje geen enkel koekje meer te vinden was.

‘U hebt gisteren het laatste opgegeten,’ zei hij. ‘Weet u dat niet meer?’

‘Taart?’ vroeg ze met hoge stem, waarin hoop en verlei-

ding doorklonken. 'Een lekker stukje taart?' Ze zag eruit alsof ze de hele taart zou nemen en een klein stukje zou laten liggen.

'Nee,' antwoordde de jongen. Hij hoefde niet te gaan kijken. Ze hadden nooit taart in huis. Zelfs niet op verjaardagen.

'Lieve hemel, lieve hemel, lieve hemel ...' zei Winnie en ze keek dromerig voor zich uit. 'Chocolade?'

'Hebben we niet,' antwoordde Alfie.

'Helemaal niets met chocolade?' drong Winnie aan.

'Nee.'

'Ook niets met chocolade eromheen of met chocoladesmaak?'

'Nee.'

'Chocolade schilfers krullen korstjes door iets anders gemengd in een laagje op iets gespoten of gesprenkeld gesmolten of vloeibaar?'

Alfie ademde diep in voordat hij antwoordde. Winnie deed nu zo vervelend dat hij zich moest beheersen om niet te gaan roepen. 'Er is helemaal geen chocolade in dit huis, in welke vorm dan ook ...'

Toen bleef het heel lang stil.

'Ingespoten?' probeerde Winnie nog.

'Nee!'

'Helemaal niets met chocolade erin gespoten?'

'Nee!'

‘Niets met ook maar een spoortje of een vleugje of een geurtje van chocolade?’

‘Nee!’

‘Iets waarin eigenlijk geen chocolade hoort te zitten maar waarin per ongeluk wat chocolade terechtgekomen is?’

Nu keken pap en Alfie elkaar perplex aan.

‘Zoals?’ vroeg pap, die naar de woordenwisseling gekeken had als naar een tenniswedstrijd.

‘Ja, zoals wat?’ smeekte de jongen bijna.

Winnie keek even diep in gedachten verzonken voor zich uit. ‘Zoals bijvoorbeeld alles waar chocoladevrij op staat?’

‘NEE!!!’ blafte de jongen haar toe. ‘We hebben helemaal niets van chocolade. Niets met chocoladesmaak, niets waar chocolade in gespoten werd en ook geen gechocolade* chocolade!’

‘Ook goed!’ zei Winnie ontstemd. ‘Ik vroeg het maar …’ En ze slurpte weer aan haar kopje thee …

SSSSSSSSSSSSLLLLLLLLLLLLL
LLLLUUUUUUUUUUUUUURRRR
RRRRRRRRRRRPPPPPPPPPPP
PPPPPPP!!!!!!

* Waarschuwing! Verzonnen woord.

En ze zuchtte weer …

'AAAAAAAAAAAAA
AAAAAAAAAAAAAAAAAAAAAAA
AAAAAAAHHHHHHHHHHHHHH
HHHHHHHHHHHHHHHHH
HHHHHHHHHHHHHH
HHHHHHHHHHHHHHH
HH!!!!!!!!!!!'

Alfie ging op de leuning van de rolstoel naast pap zitten en kruiste zijn armen. Nu was hij klaar om zich bij zijn lot neer te leggen. Hij leunde een beetje naar achteren en het zakje met snoepjes met koffiesmaak dat Raj hem gegeven had, viel uit zijn broekzak op de vloer.

Onmiddellijk vlogen Winnies ogen ernaartoe, als een zwaardwalvis die net een enorme zeehond van een ijsberg heeft zien plonzen.

'Kijk eens aan, jongeman!' zei ze plagerig. 'Wat zou dat in vredesnaam wel kunnen zijn?' Ze wist heel goed dat het snoepjes met een laagje chocolade erop waren.

'Niets,' antwoordde Alfie vlug.

'Het is niet niets, jongen,' kwam pap jammer genoeg tussenbeide. 'Ik vind dat het eruitziet als een zakje chocolaatjes ...'

Winnie keek de jongen strak aan.

'O, dit? Ja. Sorry. Toen u het had over door iets anders gemengde of op iets gesprenkelde of in iets gespoten chocolade, dacht ik niet aan dat soort snoepjes ...'

'Bied de vriendelijke dame er maar eentje aan,' zei pap.

Alfie had die snoepjes nodig. Als hij er om het halfuur eentje opat, zouden de naar koffie smakende lekkernijen met een laagje chocolade hem beletten in slaap te vallen. Zonder die noodzakelijke cafeïneshots was de kans klein dat hij wie of wat het ook was zou kunnen betrappen op gruwelijke dingen onder het hoofdkussen van kinderen leggen.

Tegen zijn zin pakte hij het zakje snoepjes op en sloop hij ermee naar Winnie toe.

'Dank je wel, jongeman. Eindelijk zijn we zover! Even kijken, welke smaak zal ik nemen ... Mmm ... Ik vind ze allemaal lekker, behalve die met koffiesmaak.'

'Niemand vindt die lekker,' voegde pap eraan toe.

Gelukkig! dacht Alfie. Als Raj ze goed uitgezocht had, zoals hij zei, smaakten ze allemaal naar koffie.

'Ik drink ook geen koffie,' zei Winnie. 'Die loopt gewoon door me heen.'

Vader en zoon wisselden een blik, waarmee ze bedoelden: Dat willen we niet weten. Geen van beiden wilde zich zelfs maar voorstellen hoe die dame op de wc zat.

Winnie trok gretig het zakje open en bediende zichzelf. Ze nam een snoepje en stak het in haar mond. Maar na een paar tellen vertrok ze haar gezicht al toen ze de bittere koffiesmaak proefde.

'O nee!' kreunde ze. 'Het is koffie! Het allereerste al! Wat een pech!'

Nu was het Alfies beurt om te gniffelen. Hij moest zijn hoofd in zijn shirt verbergen, zodat ze zijn steeds breder wordende glimlach niet kon zien.

'Ik ga een ander nemen om die smaak weg te krijgen ...' Winnie nam een tweede snoepje en opnieuw trok ze meteen een zuur gezicht. 'Weer koffie! Nee! Ik wil een ander!'

Had Raj de snoepjes heel goed uitgezocht? Of waren er hem toch een paar met rozijnensmaak ontglipt? Alfie hoopte hartgrondig dat het laatste niet waar zou zijn.

Winnie koos er nog eentje. 'Ah, dit zal er een met karamelsmaak zijn! Die vind ik het lekkerst!'

Omzichtig bekeek ze het snoepje aan alle kanten.

'Of sinas misschien? Nee, nee, nee, dit is er zeker eentje

met karamel. Eindelijk gunt de Heer me een pleziertje!'

Ze bekeek het nog eens aandachtig, rook en likte er zelfs even aan. Maar uiteindelijk stak ze het toch in haar mond. De chocolade smolt op haar tong … En zodra die weg was, verscheen er weer een uitdrukking van weerzin en walging op haar gezicht. Alsof er een dodelijk giftige kwal recht in haar mond gezwommen was.

'K O F F I E ! ! !' jammerde ze. 'NNNNNEEEEEEEE!!!!!'

Ze nam nog een snoepje en nog een en nog een. En elke keer weer hoopte ze dat het volgende de smaak van het vorige zou wegnemen. Integendeel, het werd steeds erger!

Wat later was het zakje helemaal en grondig naar binnen gewerkt. En Winnie had een buik vol met koffie. Ze zat op de sofa met chocolade om haar mond en een uitdrukking van doffe ellende op haar gezicht.

'Al die verdomde snoepjes zaten vol koffie!' protesteerde ze.

'O jee ...' zei Alfie. Hij moest heel erg zijn best doen om niet in lachen uit te barsten. 'Hoe kan dat nu?'

Pap keek stomverbaasd. 'Hoe vaak zou dat voorkomen?' vroeg hij. 'Eén keer op een miljoen zakjes?'

Alfie probeerde zo onschuldig mogelijk te kijken. Maar vreemd genoeg leek hij daardoor heel erg schuldig.

Maar het was slechts de stilte voor de storm. Want ineens klonk er een geluid. Een lang, rommelend geluid. Het was net alsof er ergens in een mythisch land een storm opstak. Pap en Alfie keken elkaar aan en richtten hun ogen toen op Winnie.

De arme vrouw keek naar haar ronde buik. Die rommelde en grommelde en zwol angstaanjagend snel. Hij leek een ballon die zo hard opgeblazen was dat hij dreigde te ontploffen.

'IK HEB JE TOCH GEZEGD DAT KOFFIE GEWOON DOOR ME HEEN LOOPT!' schreeuwde ze.

‘MIJN ACHTERSTE GAAT ONTPLOFFEN’

‘Tja,’ zuchtte Alfie, maar hij keek meer dan een beetje tevreden. ‘Ik denk dat u uw verhaal een andere keer zult moeten vertellen ...’

‘Ja! Ja! Ik moet nu weg!’ riep Winnie. ‘Nu! Onmiddellijk!’ Ze wilde opstaan, maar liet ineens een wind. Een knalharde wind. ‘O jee, onmiddellijk is nog te laat!’ Er volgde nog een wind. Nog knalharder* dan de eerste. ‘Lieve hemel, neem me niet kwalijk!’

De vrouw was heel erg verlegen omdat ze de controle over haar achterste helemaal verloren had. Ze hurkte een beetje toen ze zich ervandoor haastte, zijwaarts, zoals een krab. Ze deed krampachtig haar best om de wind binnen te houden, maar bij elke stap liet haar achterste een nieuwe, donderende wind ontsnappen.

Alfie vond dat zo ontzettend grappig dat er tranen in zijn ogen stonden van het lachen. Pap mocht

* Waarschuwing! Verzonnen woord.

het eigenlijk allemaal niet leuk vinden, want hij was volwassen, maar hij hield toch zijn hand voor zijn mond om niet te giechelen. Toen ze de deur achter Winnie hoorden dichtvallen, konden ze eindelijk echt lachen en ze hikten en loeiden als zeeleeuwen. Pap lachte zo onstuimig dat hij uit zijn rolstoel gleed en op de vloer viel. Ze rolden allebei een hele tijd over het tapijt en bleven maar lachen en knuffelen.

Uiteindelijk kroop Alfie op zijn knieën naar het raam om Winnie te zien wegzoeven. De brommer leek wel honderd keer sneller te rijden dan gewoonlijk. Misschien werkte haar achterste – waar naar koffie geurende winden uit ontsnapten – wel als een krachtige vliegtuigmotor?

Nu de maatschappelijk werkster weg was, was Alfies probleem opgelost. Voorlopig, tenminste. Maar de jongen stond op het punt zich in een wereld te begeven die gevaarlijker was dan hij zich ooit had kunnen voorstellen …

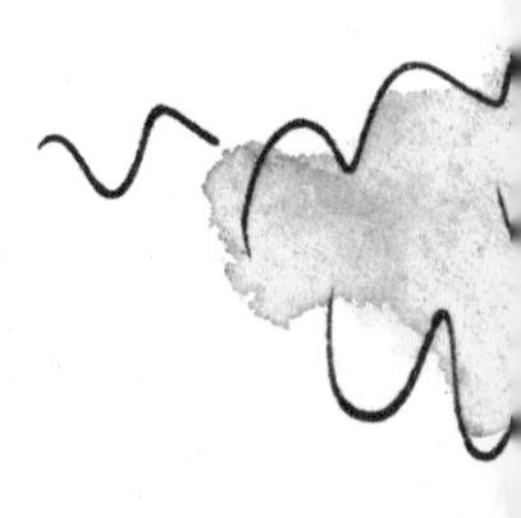

24

In het holst van de nacht

Het plan was bedacht en zou uitgevoerd worden …

Het was nog vroeg, maar Alfie had zijn pyjama al aan. Hij legde de tand van Raj onder zijn hoofdkussen. Zijn vader hoefde hem nu niet eens te zeggen dat het bedtijd was. Zodra het donker werd, ging de jongen meteen naar zijn kamer. Niemand wist wanneer die iemand of dat iets zou toeslaan en de tand van Raj vanonder zijn hoofdkussen zou komen pakken. Het hoefde alleen maar donker te zijn. En het was nu al donker. Echt winters donker.

Er was maar één probleem met het plan van Alfie. Hoe zou hij in vredesnaam de hele nacht wakker kunnen blijven? Winnie had al zijn koffiesnoepjes opgeschrokt. Er waren heel wat mogelijkheden om wakker te blijven, maar niet één daarvan vond hij volkomen betrouwbaar:

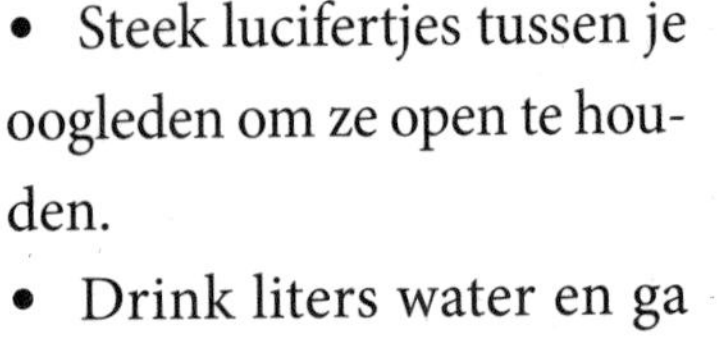

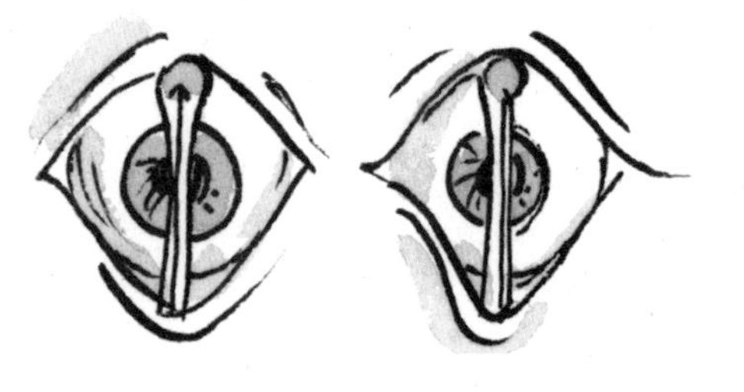

- Steek lucifertjes tussen je oogleden om ze open te houden.
- Drink liters water en ga niet plassen voor je gaat slapen.

- Sla jezelf elke minuut hard op een wang.
- Laat het raam wijd openstaan. Het zal in je kamer zo koud worden dat je zult bibberen en er zullen ijspegels aan je neus hangen.

- Stel je de leraar voor aan wie je de grootste hekel hebt en probeer tien dingen te bedenken die je leuk aan hem vindt. Onmogelijk!

- Knijp jezelf voortdurend heel hard in je arm. De pijn zal je wakker houden.
- Sta om de vijf minuten op en doe een ritmische gymoefening. Je hebt alleen maar een bal of een stevig, lang stuk elastiek nodig.

- Ga in bed in een erg ongemakkelijke houding liggen, bijvoorbeeld zoals op de tekening.

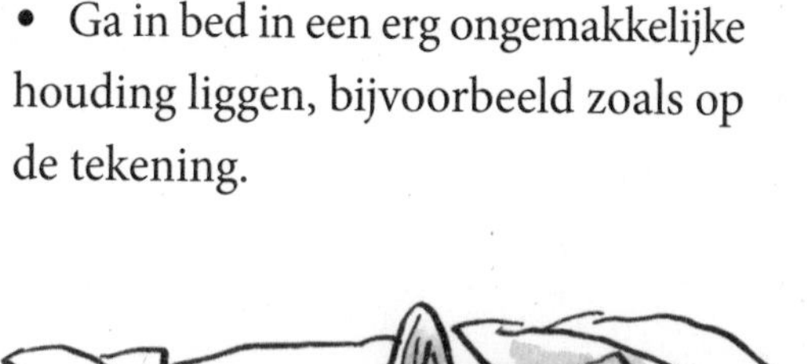

Alfie klom in zijn bed en blies de vlam uit van de kaars die hij in zijn hand had. Terwijl hij daar lag, bedacht hij dat hij geen enkel van die trucjes nodig had om niet in slaap te vallen. Nooit eerder was hij zo wakker geweest.

Eerst leek alles doodstil en rustig. Maar al snel schrok hij zelfs van een haast onhoorbaar geknars of geritsel …

MISSCHIEN WAREN ZIJ HET.
MISSCHIEN WAREN ZIJ HET.
MISSCHIEN WAREN ZIJ HET.

Er begonnen schaduwen te dansen op de muren. Waren het gewoon maar silhouetten van bomen, die bewogen in het licht van auto's?

Of waren het veel onheilspellender dingen?

MISSCHIEN WAREN ZIJ HET.
MISSCHIEN WAREN ZIJ HET.
MISSCHIEN.
WAREN.
ZIJ.
HET.

Alfie liet voortdurend een hand onder zijn hoofdkussen glijden om te voelen of de tand er nog lag. Ja, hij lag er nog.

Wie of wat zou er naar zijn kamer komen? En hoe zou die iemand of dat iets de tand proberen te pakken? Terwijl hij daar zo in het donker lag, begon zijn verbeelding op hol te slaan. Zo wild, dat hij weldra niet goed meer uit elkaar kon houden wat echt was en wat in zijn hoofd zat. Lag hij wakker in bed? Of sliep hij en droomde hij dat hij wakker was?

Uren gleden voorbij. Of waren het minuten? Hij kon het onmogelijk zeggen.

Ineens hoorde hij buiten een geluid. Geen fluitende vogel. Geen overvliegend vliegtuig. Zelfs geen auto in de verte.

Het was nu echt het holst van de nacht.

Hij liet zijn hand nog een keer onder zijn kussen glijden. De tand lag er nog, precies waar hij hem gelegd had.

Plotseling hoorde hij iets ritselen, buiten in de struiken. Het kon een vogel zijn, of een eekhoorntje, of zelfs een rat … Nee, het klonk te hard. Het was iets groters …

Een paar tellen was het weer stil.

Maar toen, zo snel als de bliksem, verscheen er een schaduw voor het raam, die al het licht van de straatlantaarns wegnam. Het was angstaanjagend. Ineens leek het een vreselijk fout plan dat hij daar alleen lag. Alfie was bang. Doodsbang.

Hij hoorde het raam openglijden. De sjofele, versleten gordijnen werden opzijgeschoven. De gedaante klom door het raam …

Alfie wilde schreeuwen, maar zijn mond was kurkdroog door de angst en er kwam geen geluid uit.

De schaduw sjokte langzaam naar hem toe …

Alfies plan was te doen alsof hij sliep, de tand laten stelen en stiekem naar de dader loeren als die wegsloop. Maar hij was zo doodsbenauwd dat hij zich onmogelijk stil kon houden. Zijn hele lichaam trilde van angst.

Hij moest vechten of vluchten.

Maar doordat de indringer almaar dichterbij kwam, kon de jongen nergens heen. Vechten dus, hij had geen keus …

Hij sprong uit zijn bed, ging voor de gedaante staan en zwaaide wild met zijn vuisten.

‘AAAAAAAAAAAAAAAHHHHHHHHHHHHHHHHH!!!!!!!!!’ schreeuwde hij.

25

Onder het hoofdkussen

'AAAAAAAAAAAAAAAAAAAA AAAAAAAAAAAAAAAAAAHHHH hhhHHHHHHHHHHHHH HHHH!!!!!!!' schreeuwde de schaduw. 'Alsjeblieft, alsjeblieft, alsjeblieft, doe me geen pijn!'

Er was geen twijfel mogelijk, het was de stem van Raj.

Alfies angst verdween op slag. Hij slikte bijna zijn tong

in van verbazing. ‘Raj?’ zei hij hees. ‘Wat doe jij hier in vredesnaam?’

‘Je liet me schrikken!’ riep de krantenverkoper.

‘Jij liet mij erger schrikken!’ antwoordde de jongen.

‘Ik denk dat jij mij erger liet schrikken.’

‘Nee, jij liet mij veel erger schrikken.’

‘Nee, nee, nee, nee, nee!’ protesteerde Raj. ‘Jij liet mij ongetwijfeld heel zeker harder schrikken! En daar blijf ik bij!’

Het had geen zin hem nog tegen te spreken. Iedereen wist dat hij vlug bang was. Er deed zelfs een gerucht de ronde dat hij op een dag uit zijn winkel gelopen was en geschreeuwd had dat hij een van zijn honingkoeken had zien bewegen.

‘Al goed, al goed,’ gaf Alfie toe. ‘Maar ik dacht je de tandendief was ...’

‘Ben ik niet,’ antwoordde Raj. ‘Mijn naam is Raj. En ik ben je krantenverkoper.’

‘Ja, ja, ja!’ zei de jongen geërgerd. ‘Ik weet wie je bent! Maar wat doe je hier?’

Op dat ogenblik kwam er iets als een golf ijskoude lucht naar binnen en die blies de kaars uit.

‘Het is hier donker!’ jammerde Raj.

‘Geen probleem, even mijn lucifertjes pakken ...’ Alfie tastte naar zijn nachtkastje (eigenlijk was dat gewoon een melkkrat) en stak de kaars aan.

Omdat het erg koud was in zijn kamer, liep hij naar het

raam en deed hij het dicht. En omdat hij toch nog altijd een beetje bang was, voelde hij een paar keer of het wel goed gesloten was.

'Luister ... Ik lag in bed boven de winkel en ik maakte me zorgen over je. Want je lag hier helemaal alleen te wachten op ...' Raj vond het juiste woord niet. '... dat ding,' maakte hij zijn zin ten slotte toch af.

'Dat is heel vriendelijk van je, Raj, maar alles ging goed,' loog Alfie. 'Het is nu al midden in de nacht en er is nog helemaal niets gebeurd.'

'Ligt mijn tand nog altijd onder je kussen?'

'Ja, hoor!' zei Alfie en hij liep naar zijn bed. 'Ik heb hem daar gelegd. Kijk maar ...'

Maar toen hij het kussen ophief, was de tand verdwenen.

Er lag wel iets anders.

Iets verschrikkelijk vreselijks.

Iets vreselijk verschrikkelijks.

Een oogbal.

Met de lange, zijdeachtige zenuw er nog aan. Die zwaaide heen en weer alsof het een staart was. En daardoor kronkelde en wriemelde het oog als een dikkopje op het droge.

'AAAAAAAAAAAAAAAAAAAAAA AHHHHHHHHHHHHHHH!!!!!!!' schreeuwde Raj.

En Alfie, die toch van zichzelf dacht dat hij moediger was dan de krantenverkoper, schreeuwde ook:

'AAAAAAAAAAAAAAAAAAAA AAAAHHHHHHHHHHHHHHH!!!!!!!'

Hij schreeuwde zelfs nog harder.

'Het is een oogbal!' schreeuwde Raj.

'Dat weet ik!' zei Alfie.

'Maar het is een echte oogbal!'

'Ja, maar laten we kalm proberen te blijven. Dit is een spoor ...' Alfie nam langzaam en rustig de kaars om de oogbal wat beter te kunnen bekijken. Die was opvallend groot. Ongeveer zo groot als een pingpongbal. Hij moest van een groot dier afkomstig zijn. Of van een reus.

Plotseling draaide de oogbal en keek hij hem recht aan.

'AAAAAAAAAA AAAAAAAAAAAAA

AHHHHHHHHHHHHHHHH!!!!!!!!' schreeuwde Alfie. 'AAAAAAAAAAAA AAAAAAAAAAAAAHHHHHH HHHHHHHHHHH!!!!!!!' schreeuwde Raj.

'Hij keek naar me!' stamelde de jongen. 'Hij keek recht in mijn ogen ...'

BONS

BONS

BONS

Er bonsde iemand op de muur.

Raj schreeuwde opnieuw en probeerde in Alfies armen te springen.

'Dat is mijn vader in de kamer hiernaast ...'

'O, sorry,' zei de krantenverkoper. Hij pro-

beerde zich te herstellen. Zijn zenuwen hadden het hard te verduren gekregen. 'Ik sprong altijd in de armen van mijn moeder als ik een muis zag ...'

'Je bent te zwaar voor me.'

'Ik weet het. Mijn moeder zei dat ook toen ik het vorige week weer probeerde.'

Alfie keek hem verbouwereerd aan.

BONS

BONS

BONS

Pap bonkte weer op de muur.

'Jongen? Jongen? Is alles goed met je?' stamelde hij hoestend in de andere kamer.

'Ik kom eraan, pap!'

Alfie rende zijn kamer uit en door de gang naar de slaapkamer van zijn vader. De verbijsterde krantenverkoper volgde hem op zijn hielen.

'Raj?' zei pap stomverbaasd.

'O, hallo, meneer Griffith ...' zei Raj opgewekt. Hij deed net alsof het heel gewoon was dat hij daar midden in de nacht was.

'Als het over het krantenabonnement gaat, ik was van plan dat ...' begon pap.

Raj glimlachte. 'Mijn vriend, die rekening is allang vergeten.'

'Wat kom je hier dan doen?' vroeg pap.

Raj keek naar Alfie. Pap volgde zijn blik.

Ineens waren alle ogen (behalve dat ene oog in zijn kamer) op de jongen gericht.

'Nou?' zei pap. 'Ik vind dat het tijd wordt dat je me de waarheid vertelt, beste jongen!'

'Beste jongen' zei pap alleen maar tegen Alfie als de jongen iets misdaan had. Alfie wist dat. Hij ademde diep in. Ja, het was tijd om zijn vader het hele verhaal te vertellen …

26

Een spoor van dik, bruin slijm

Pap was dol op fantastische verhalen. Maar met wat Alfie hem nu vertelde, had hij het toch een beetje moeilijk.

Na wat aandringen van Raj vertelde de jongen pap het hele verhaal. Dat de tandarts op school was geweest … dat ze bijzondere MAMMIE-tandpasta uitgedeeld had, die door beton kon branden … dat er elke nacht tanden gestolen werden… dat bijna de hele stad hem achtervolgd had … en ten slotte dat al zijn tanden getrokken waren.

Paps ongeloof sloeg om in woede toen Alfie de valse tanden uit zijn mond haalde en ze in het kaarslicht hield.

'Als ik die tandarts te pakken krijg …' kon pap nog roepen voordat hij door een hoestbui overvallen werd.

Alfie sloeg een arm om hem heen. 'Daarom wilde ik het je niet vertellen! Ik wilde je niet overstuur maken!'

Pap keek zijn zoon diep in zijn ogen. 'Ik ben vooral overstuur omdat je het me niet verteld hebt, jongen. We zijn toch een team? Jij en ik?'

Alfie knikte alleen maar. Hij was bang dat zijn stem zou breken als hij iets zei.

'Je bent mijn pup,' vervolgde pap. 'Mijn kleine pup. En ik

wil alles doen voor mijn kleine pup. Ik zou voor je sterven als ik moest ...'

Er welde een traan op in Alfies ogen.

Zelfs Raj begon te grienen. Hij snoot zijn neus luidruchtig in zijn mouw.

Even later hadden Raj en Alfie pap in zijn rolstoel geholpen en hij reed zelf naar Alfies kamer. Hij wilde het gruwelijkste stukje van de puzzel met zijn eigen ogen zien ...

De oogbal.

Gelukkig was die niet meer aan het kronkelen en wriemelen. Maar hij had wel een spoor van dik, bruin slijm op het laken achtergelaten toen hij erover kroop. De drie gezichten bogen erover om hem in het kaarslicht goed te kunnen bekijken.

‘Weet je wat ik onbegrijpelijk vind?’ zei Alfie. ‘Ik zweer dat ik de hele nacht wakker was. Hoe kon de tand dan verwisseld worden zonder dat ik het in de gaten had?’

Pap dacht lang en diep na voor hij antwoordde. ‘Je moet gewoon even ingedommeld zijn, jongen.’

‘Nee,’ zei Alfie, echt zeker van zijn stuk. ‘Ben ik niet. En ik heb de hele nacht onder mijn kussen gevoeld. Dat deed ik nog net voor Raj binnenkwam en toen was de tand er nog …’

‘Je deed het raam achter me dicht …’ zei Raj.

‘Net na die ijskoude windstoot …’ dacht Alfie hardop.

Daarna viel er een doodse stilte.

‘Dan moet wie of wat dit dan ook gedaan heeft hier nog in huis zijn …’ fluisterde pap even later vanuit de duisternis.

Niemand verroerde een vin.

‘Misschien zelfs nog in deze kamer …’ fluisterde pap.

Drie paar ogen dwaalden door de duistere kamer. Als dat waar was, waar kon ‘het’ zich dan verbergen? Het was maar een kleine kamer. Er stonden maar een paar meubeltjes. Echt geen ideale plek om verstoppertje te spelen.

Met zijn ogen wees pap naar de oude houten kleerkast in een hoek. Alfie liep er op de toppen van zijn tenen naartoe met de kaars in zijn hand. Zijn gewicht deed een losliggende vloerplank hard kraken. Pap legde een vinger op zijn lippen en Alfie stapte vlug van de plank. Twee geluidloze passen later kon hij de deur van de kleerkast aanraken. Pap knikte even om hem ertoe aan te zetten ze te openen. De spanning werd Raj te veel. Hij stond al in elkaar gedoken achter paps rolstoel en kneep nu ook zijn ogen dicht.

De jongen trok de deur met een ruk open.

Er vloog hem iets tegemoet …

Zijn anorak. Een van de mouwen had vast tussen de deur gezeten.

Hij ademde diep in en duwde de paar kledingstukken opzij.

Niets of niemand hield zich schuil in de kast. Alleen een vieze oude voetbalsok. Die lag daar al zo lang dat er gele en groene schimmel op zat.

Raj hield de hele tijd zijn ogen dicht en zijn gezicht was vertrokken van angst. Pap tikte even op zijn arm en hij schrikte op als een wild paard en sprong in de lucht. Door het schrikken vlogen zijn armen en zijn benen alle kanten op.

‘AAAGGGAAAGGGH!’

hinnikte hij.

‘Sssst!’ deed pap en hij wees met zijn ogen naar het bed.

Raj wees naar zichzelf. ‘Ik?’ vroeg hij met zijn blik.

Pap knikte en zei ‘Ja! Jij!’ met zijn blik.

De krantenverkoper schudde zijn hoofd. Hij vouwde zijn handen als om te bidden en smeekte pap zonder woorden het niet te hoeven doen.

Alfie rolde met zijn ogen. Hij kwam naar hen toe en duwde de bange krantenverkoper zachtjes opzij. Hij trok het laken weg en ging op zijn knieën zitten om onder het bed te kijken. Het was daar donker en zelfs met de kaars erbij kon hij er haast niets zien. Zoals de meeste jongens nam hij nooit de moeite om onder zijn bed iets op te ruimen. Er lagen al lang vergeten Legoblokjes en een vieze oude onderbroek. Het zag er allemaal grijs uit, want er lag een dikke laag stof op. Hij zuchtte. Ook daar kon hij niets boosaardigs ontdekken ...

Maar ineens. Onder het bed. In het donker. Gingen twee ogen open. Twee zwarte ogen. En die keken hem aan met een dodelijke blik.

'AAAAAAAAAAAA
AAAAAAAAAAAAHHHHHHH
HHHHHHHHH!!!!!!!!'

schreeuwde Alfie.

De persoon van wie die ogen waren, blies zijn kaars uit. Nu was het zo goed als pikdonker in de kamer. Plotseling kwam een soort schaduw vanonder het bed. En zonder het raam open te doen vloog die er dwars doorheen met oorverdovend gebrul. Dat gebeurde zo snel dat er stukjes glas door de kamer vlogen.

Alfie haastte zich naar het raam. Hij wilde ten minste een glimp kunnen opvangen van wie of wat onder zijn bed gezeten had. Hij keek naar buiten in de donkere nacht. Er

schoot iets over de straat en toen vloog het de lucht in. Hoger en hoger, tot in de wolken. Er bleef alleen nog een sliert zwarte rook achter.

Alfie kneep even zijn ogen dicht. Had hij zich dat allemaal niet verbeeld?

Maar toen hij ze weer opendeed, zag hij de rooksliert nog altijd hangen.

Het was geen nachtmerrie.

Het was echt.

Hij kon niet anders dan het geloven.

27

Een zaak om kippenvel van te krijgen

Agent Oen keek niet bepaald vriendelijk toen hij midden in de nacht uit zijn warme bed gehaald werd. De politieman had zijn gestreepte pyjama nog aan. Maar om er een beetje gezagvol uit te zien had hij toch zijn politiepet opgezet. Met een zaklamp onderzocht hij het vernielde raam in Alfies kamer. Hij liet de lamp op het kozijn schijnen en daarna op de glasscherven op de vloer.

'Dat raam is stukgeslagen,' zei hij ten slotte.

Alfie rolde met zijn ogen. 'Ja, dat hadden wij ook al vastgesteld.'

Oen scheen recht in zijn ogen met de lamp. 'Niet zo brutaal, knulletje. Wees maar blij dat ik je niet arresteer. Milieuvervuiling, een politieman tijd laten verliezen, je bleef niet staan toen een dienaar van de wet zei dat je dat moest doen ...'

Pap kreeg het op zijn zenuwen van de politieman. Hij begon steeds moeizamer te ademen. 'Luister, agent, er is hier vannacht iets ernstigs gebeurd. Iemand ...'

'Of iets ...' merkte de krantenverkoper op.

'Dank je, Raj,' stamelde pap. '... of iets kwam in het holst

van de nacht naar de slaapkamer van mijn zoontje en legde dat walgelijke ding onder zijn hoofdkussen ...'

Oen richtte de lamp op de oogbal, die nog altijd lag te glinsteren op het bed. 'Hmm ...' hmmmde* hij. 'Alleen maar die ene oogbal, hè?'

'Wát?' Alfie was echt verbijsterd door de toon waarop de agent dat gezegd had.

'Ik bedoel, meestal zijn het er toch twee, niet?' verdedigde Oen zich. 'Twee zou erger geweest zijn, maar eentje is al erg genoeg, vind ik ...'

'Ja, Oen,' zei pap. 'Een oogbal onder je hoofdkussen vinden is erg! Heel erg …' Hij begon weer vreselijk te hoesten.

'Toen ik hem zag, kreeg ik echt kippenvel!' zei Raj.

'Gabz en ik hebben u toch gezegd dat er zulke dingen gebeuren,' zei Alfie. 'Nu hebt u het met uw eigen ogen kunnen zien. Ik ben geen speurder, maar ik weet zeker dat de oogbal een erg belangrijk bewijsstuk is. Moet u hem niet meenemen om hem te laten onderzoeken? Vingerafdrukken, DNA …'

'Ja, ja,' antwoordde agent Oen. 'Maar nee, nee …'

'Nee?' zei Alfie.

'Jammer genoeg heb ik geen speciale zakjes meer om belangrijke bewijsstukken in te stoppen. Mam heeft gisteravond het laatste gebruikt voor een paar boterhammetjes voor als ik honger zou krijgen …'

'Hemeltjelief!' zei pap.

De politieman trok zijn boterhammen uit de zak van zijn pyjama. 'Jam,' stelde hij vast voor hij in eentje beet. 'Mam maakt heel lekkere boterhammen met jam. Ze snijdt er zelfs de korstjes af voor me.'

Er vielen grote, met speeksel doordrenkte stukjes brood uit zijn mond op de oogbal.

'Eh …' zei hij met zijn mond vol. 'Heb je hier misschien ergens wat huishoudfolie waar ik de oogbal in kan inpakken?'

'Nee!' antwoordde Alfie boos.

'Hmm …' hmmmde* de politieman weer. 'Even denken …' Hij stak het laatste stukje van zijn boterham in zijn mond. 'Ik weet wat! Kun je hem naar me opsturen?'

* Waarschuwing! Verzonnen woord.

‘Wát?’ zei pap en hij begon opnieuw te hoesten. Hij kon niet geloven dat iemand zo stom kon zijn.

‘Ja! Stop hem in een gewatteerde envelop en plak er een postzegel op. Dan heb ik hem maandag …’

‘Dan is het te laat!’ riep Alfie. ‘Hoe vaak moet ik het u nog zeggen?’

‘Normaal ten minste drie of vier keer voor ik het doorheb,’ antwoordde Oen en hij bedoelde dat niet eens grappig.

‘Luister!’ drong de jongen aan. ‘Elke nacht leggen kinderen een tand onder hun hoofdkussen en elke ochtend vinden ze daar iets gruwelijks! U moet daar iets aan doen!’

‘AL GOED!’ protesteerde agent Oen. ‘Plak er om zeker te zijn dan twéé postzegels op!’

Pap en Alfie waren opgelucht toen de waardeloze agent eindelijk vertrok. Even later ging ook Raj naar huis. Zijn winkel was vlakbij, maar hij stond erop een taxi te bellen om hem naar huis te brengen. Hij was veel te bang om helemaal alleen te voet te gaan.

Pap en Alfie kropen samen in bed. Wat er gebeurd was, had niet alleen de jongen de stuipen op het lijf gejaagd, pap was ook vreselijk geschrokken. Zelfs met paps arm om zich heen kon de jongen de slaap niet meer vatten.

Telkens weer schoten de verschrikkelijke taferelen door zijn hoofd. Die ijskoude windstoot … Was de tandendief toen naar binnen gekomen? En die ogen onder zijn bed … Hij wist het heel zeker: die ogen had hij nog ergens gezien. Die zwarte ogen. Hij moest nu de strijd aangaan met de eigenaar ervan.

Het duurde niet meer lang voordat de zon door de gaten in de gordijnen scheen. Omdat zijn vader nog lag te snurken, haalde Alfie voorzichtig de zware arm van zich af en hij sloop stilletjes naar zijn eigen kamer.

Daar was alles met een zilverkleurig laagje ijs bedekt. Doordat er geen ruit meer in het raam zat, was het er berekoud. Zo snel als hij kon, trok hij zijn kleren aan en stopte hij de valse tanden in zijn mond. Toen hij zijn jasje aantrok, keek hij even door het raamkozijn naar buiten. Daar was het doodstil. Zelfs de vogels floten nog niet. Het was nog erg vroeg en hij wist dat hij nu moest toeslaan. De gebeurtenissen waren te veel geweest voor zijn zieke vader. Raj was zo schrikachtig dat hij eerder een last dan een hulp was. En Gabz was een klein meisje en hij vond het allemaal veel te gevaarlijk om haar erin te betrekken.

Hij zou het monster helemaal alleen moeten aanpakken.

28

Vanuit de mist

Alfie trok de voordeur zo zachtjes mogelijk dicht, want hij wilde niet dat zijn vader hem hoorde vertrekken. Hij liep door de lege straten. Zijn bestemming: de behandelkamer van de tandarts.

Die winterochtend hing er een dichte mist. Waar het kon, bleef Alfie dicht bij de muren van de huizen en in de schaduw. Het was immers mogelijk dat het ding of de persoon hem volgde.

Niet ver van het huis van de tandarts stond een knoestige oude boom. Alfie sjokte door de afgevallen bladeren, verstopte zich achter de stam en richtte zijn ogen op de voordeur van de tandarts.

Hij kneep zijn ogen tot spleetjes om te kunnen lezen wat er op het bordje stond.

Terwijl de jongen erover nadacht wat 'DTH' kon betekenen, hoorde hij boven zijn hoofd iets wat als een vliegtuigmotor klonk. Hij keek omhoog en zag een gedaante razendsnel door de lucht vliegen boven de huizen. Schrijlings gezeten op iets wat op een gasfles leek. En achterop zat er nog iets. Het duo cirkelde enkele keren boven zijn hoofd en begon toen te dalen. Zelfs al was de hele stad in een dichte mist gehuld, hoe lager ze kwamen, hoe beter Alfie alles kon zien. En uiteindelijk wist hij zonder de minste twijfel wie het was.

Het was juffrouw Wortel, de tandarts.

Ze vloog op haar fles met lachgas.

En het iets wat achter haar zat, was Hoektand.

Enkele tellen later landden ze.

De tandarts draaide vooraan op de fles aan een knop en het ding viel stil vlak voor haar deur. Ze sprong er net zo vlotjes af als van een fiets.

Zo vliegt ze dus elke nacht over de stad! dacht Alfie.

Al had ze net nog door de lucht gevlogen, juffrouw Wortel zag er opvallend ongehavend uit. Haar kleren zaten nog onberispelijk en niet één haartje op haar hoofd lag verkeerd.

Alfie dook weg achter de boom, want de tandarts wierp een vluchtige blik over haar schouder om te zien of niemand haar in de gaten hield. Daarna verdween ze naar binnen en haar trouwe kat volgde haar. Onder haar ene arm droeg de tandarts de gasfles en onder de andere een metalen bakje. Daarin ratelde er iets terwijl ze liep. Het waren vast tanden van kinderen! Alfie was zo verbijsterd dat hij er met open mond naar stond te staren.

Ze is een heks! dacht hij.

Juffrouw Wortel draagt misschien geen zwarte kleren of een punthoed en ze vliegt niet op een bezemsteel door de lucht, maar ze is toch echt wel een heks. Ze

HEEFT EEN KAT	V
VLIEGT 'S NACHTS ROND	V
IS BOOSAARDIG	V V V

Gabz had dus gelijk: heksen bestaan echt. Juffrouw Wortel was het wandelende bewijs. Nou ja, het vliegende bewijs. En nu waren heksen tandarts. DTH stond waarschijnlijk voor *Doctor in Tandheelkunde en Heksenkunde**.

Zodra de deur achter Juffrouw Wortel dichtgevallen was, begonnen de straten te zoemen van de mensen en het verkeer. Plotseling zag Alfie een klein meisje met een massa dreadlocks naar de deur van de tandarts lopen. Het was Gabz. Wat ze op het schoolplein tegen Alfie gezegd had, was geen bluf geweest: ze ging juffrouw Wortel zelf opzoeken.

Maar Gabz wist niet echt hoeveel boosaardigheid er achter die deur zat. Ze wist niet dat juffrouw Wortel al zijn tanden

* Waarschuwing! Verzonnen woord.

getrokken had. En ze wist helemaal niets van de gruwelijke dingen die hij die nacht beleefd had …

Hij wilde haar naam roepen, maar ze drukte al op de bel van de tandarts.

Geen twee tellen later hoorde hij de zoemer. Hij moest zijn kleine vriendin waarschuwen. Meteen!

Hij sprong vanachter de boom. Maar net toen hij haar naam wilde roepen, pakte iemand hem bij zijn kraag en werd hij hoog in de lucht getild …

29

Op de wc geslapen

'Ik heb de hele stad afgezocht naar je, Alfred!' zei Winnie. De maatschappelijk werkster hield de jongen bij zijn jasje. De tippen van zijn schoenen raakten amper de grond nog.

'Zet me neer!' zei hij boos.

'Je arme vader is doodongerust!' De dikke vrouw liet hem zakken, maar hield hem stevig bij zijn schouders. 'Ik breng je nu meteen naar huis!'

'Nee, nee, nee, ik kan nu niet naar huis ...' Alfie voelde zich schuldig omdat hij vertrokken was zonder zijn vader te vertellen waar hij heen ging. Maar het was een noodgeval geweest.

Winnie zuchtte lusteloos. 'Luister, jongeman! Ik ben

vanmorgen niet echt goedgehumeurd. Na je trucje met de koffiesnoepjes heb ik op de wc moeten slapen!'

Alfie probeerde dat beeld te verdringen zodra het in zijn hoofd verscheen. Maar hoe harder hij zijn best deed om zich zijn maatschappelijk werkster niet op de wc voor te stellen, hoe duidelijker het beeld werd.

'Luister!' zei hij haast smekend. 'Ik moet naar de tandarts!'

'Nee, nee, nee!' zei Winnie streng. 'Eerst breng ik je naar huis. En daarna hebben we een afspraakje met je schooldirecteur. Ik zal mijn best doen om je niet te laten wegsturen ...'

'Het kan me niet schelen of hij me wegstuurt of niet!' riep Alfie. 'Ik moet daar nu heen!' Hij wees naar de deur van de tandarts.

Winnies ogen vernauwden. Hoe ze haar best ook deed, ze begreep niets van die jongen. 'Gisteren moest de halve stad achter je aan zitten om je daar naar binnen te krijgen en nu kun je niet wachten om ernaartoe te gaan?'

'Ik moet mijn vriendinnetje gaan waarschuwen! Nou, eigenlijk is ze mijn vriendinnetje niet. Ze is een meisje met wie ik beste maatjes ben ...'

'Het is niet erg als ze je vriendinnetje is,' zei Winnie ernstig.

'Is ze niet.'

'Dat klinkt toch alsof ze het wél is,' zei Winnie met een brede grijns.

'Is ze niet!' hield Alfie vol.

'Nee,' zei Winnie. 'Maar hoe dan ook, het zou echt niets uitmaken als ze het wel was.'

Alfie kreeg het nu echt op zijn zenuwen. 'Ik herhaal: ze is absoluut honderd procent zeker mijn vriendinnetje niet! Punt uit!'

De maatschappelijk werkster zweeg even. 'En waar is dat meisje nu, met wie je beste maatjes bent, maar dat je vriendinnetje niet is?'

'Gabz. Ze is daarnet bij de tandarts naar binnen gegaan! Ze noemde me een angsthaas omdat ik niet durfde te gaan, maar ik moet haar waarschuwen voor de tandarts ...'

Winnie schudde vermoeid haar hoofd. 'Juffrouw Wortel lijkt me toch een vriendelijke dame. Waarvoor moet je Gabz in vredesnaam waarschuwen?'

'De tandarts is eigenlijk ...'

'Is eigenlijk wat?'

Alfie wist dat het de waarheid was, maar hij wist ook dat het dwaas klonk. Een paar tellen later vond hij toch de moed om zijn zin af te maken. **'... een heks!'**

De maatschappelijk werkster keek hem heel lang aan. Toen kroop er een glimlach over haar gezicht en vervolgens barstte ze in lachen uit.

'Ha ha ha! Een heks? **Ha ha ha ha ha!'**

'Ja,' antwoordde Alfie vastberaden.

‘Ha ha ha!’ Winnie bleef lachen. ‘Een heks? Dat is het gekste wat ik ooit gehoord heb!’

‘Maar het is waar!’ riep Alfie. ‘Ze vliegt niet rond op een bezemsteel, maar op een fles met lachgas …’

‘Ha ha ha!’ lachte Winnie. ‘Straks ga je me nog vertellen dat ze ook een zwarte kat heeft!’

‘Nee, een witte,’ zei Alfie. ‘Maar die is ook echt kwaadaardig.’ ‘Ha ha ha!’ Winnie moest de lachtranen uit haar ogen wrijven. ‘Juffrouw Wortel is een gerespecteerde inwoonster van onze stad. En ik heb gehoord dat ze ook een uitstekende tandarts is …’

Alfie keek haar recht in haar ogen. ‘O ja? Waarom heeft ze dit dan in vredesnaam met mij gedaan?’ Hij haalde het kunstgebit uit zijn mond, zodat Winnie goed kon zien wat juffrouw Wortel gedaan had.

Winnie hapte naar adem en sloeg geschokt een hand voor haar mond. ‘O nee!’ fluisterde ze. ‘Heeft juffrouw Wortel dat gedaan?’

Alfie stopte de tanden terug voordat hij antwoordde. ‘Ja. En op dit ogenblik is mijn vriendinnetje in haar behandelkamer …’

Winnie keek naar de verduisterde ramen van de tandarts.

Ineens hoorden ze een boor gieren en drong er vanuit de

behandelkamer een bloedstollende schreeuw tot hen door.

'Neeeeee!' gilde Winnie. 'Kom mee, Alfred, we mogen geen tijd verliezen!'

30

Kniel voor me

Winnie pakte Alfie bij een hand en ze holden de straat over naar het huis van de tandarts. De maatschappelijk werkster was zwaargebouwd en toen ze naar de deur toe liep en haar schouder ertegen ramde, begon het hout te kraken. Na een paar pogingen vroeg ze Alfie op haar rug te springen om het gewicht te verhogen.

Nu ging het beter en bij de vierde poging vloog de deur uit haar hengsels en plofte ze op de vloer.

Winnie en Alfie stormden de trap op en vielen de behandelkamer in.

Gabz lag met haar polsen en enkels vastgeklemd in de stoel van de tandarts, net zoals Alfie de vorige dag. Juffrouw Wortel boog over het kleine meisje. Ze zwaaide met een reusachtige boor. Net als de andere werktuigen zag die er als een middeleeuws foltertuig uit. Het was geen elektrische boor. Met haar vrije hand deed juffrouw Wortel ze draaien. Dat ging zo snel dat de boor begon te gieren. Het ding was zo groot dat het eerder gemaakt leek om een gat in een weg te boren dan in iemands mond.

'Ga weg van haar!' riep Winnie.

En al was het een ernstige situatie, toch kon Alfie een glimlach niet bedwingen. Eindelijk waren hij en de maatschappelijk werkster een team.

‘Wat krijgen we nu?’ riep juffrouw Wortel.

‘Ik zei dat je van haar weg moet gaan!’ riep Winnie.

De tandarts wees met de boor naar Winnie en Alfie.

‘Achteruit ...’ gromde ze.

‘Laat Gabz gaan!’ zei Alfie.

‘Of?’

‘Of ik zal een brief schrijven naar de Beroepsvereniging van Tandartsen!’ antwoordde Winnie.

‘Help!’ schreeuwde Gabz, die beefde van angst. ‘Wortel zei dat ze al mijn tanden gaat trekken!’

‘Dat ga ik ook doen ...’ grijnsde juffrouw Wortel.

En ineens glimlachte ze al haar verblindend witte tanden bloot. Ze hief langzaam haar hand op en trok die tanden uit haar mond. Ze waren vals! En door ze weg te halen kwam er iets gruwelijks tevoorschijn.

Een stel afschuwelijke snijtanden.

De ene was nog scherper en puntiger en bloederiger dan de andere. Ze waren zo griezelig als de tanden van een Tyrannosaurus rex.

‘En jullie kunnen me niet tegenhouden,’ vervolgde de tandarts. ‘Jullie moeten voor me knielen! Want ik ben de

Tandenheks!’

31

Een kat in het rond zwieren

Alfie liep achter de rug van Winnie vandaan en stapte op de Tandenheks af. Nu zwaaide de duivelse vrouw de boor heen en weer om hen van zich af te houden.

Alfie pakte een tube MAMMIE-tandpasta van het roltafeltje achter zich.

Hoektand sprong op het werkblad, duwde zich af in zijn richting en landde op zijn hoofd.

Maar de kat kon niet vermijden dat hij de tandpasta recht naar het gezicht van de heks spoot. Het goedje miste haar grotendeels en verschroeide alleen maar wat van haar kapsel.

Maar er kwam toch wat van de giftige brij in haar gitzwarte ogen terecht en ze viel op haar knieën van de pijn.

De boor viel uit haar hand en zwierde rond op de vloer als een stuiptrekkende slang.

Winnie haastte zich naar de stoel toe en probeerde de metalen klemmen los te maken waarmee Gabz vastgeklonken was. Maar terwijl ze daarmee bezig was, sprong Hoektand van Alfies hoofd op het hare. Haar dikke witte vacht verborg Winnies hele gezicht.

Eén voor één kwamen de vlijmscherpe klauwen van de kat tevoorschijn en het kwaadaardige dier sloeg ze zo diep in Winnies nek dat er bloed uit kwam.

SSSSSSSSSSSSSSSSSssss

SHHHHHHHHHHHHHHHHH!!!!

blies het enge beest.

'Aaah!' schreeuwde Winnie. 'En ik ben allergisch voor katten!'

Alfie hoefde maar één tel na te denken. Toen greep hij de harde, benige staart van het dier en zo hard als hij kon, trok hij de kat van de maatschappelijk werkster weg.

Alfie had zich al vaak afgevraagd wat hij zich bij de uitdrukking 'je kunt er je kont niet keren' moest voorstellen. Maar nu hij in die kleine ruimte een kat in het rond zwierde – haar kop scheerde vlak langs de stoel, de kastjes en zelfs de muren – begon hij het te begrijpen.

Nadat hij Hoektand een aantal keren rond en rond en rond gezwierd had, vond hij dat hij haar moest loslaten.

En dat deed hij ook.

Hoektand vloog door de lucht en ze blies harder dan ooit. Ze schoot door de kamer en belandde met een SMAK op het roltafeltje van de heks.

SSSSSSSSSSSSSM MMMMMMMAAAAAAK KKKKKK!!!!!!!!

Alle levensbedreigende tandartseninstrumenten vlogen door de behandelkamer en op de vloer.

'Goed gedaan!' zei Gabz.

'Dank je,' zei Alfie.

Winnie verzorgde haar wonden. De heks wreef de laatste restjes tandpasta uit haar ogen. En Alfie begon verwoed te zoeken naar het hendel om de metalen klemmen te openen.

'Je had gelijk,' hijgde hij. 'Ze is een heks!'

'DUH!' zei Gabz triomfantelijk. 'Ik zei het toch!'

Haar spottende toon verraste Alfie. 'Oké!' zei hij. 'Wil je dat ik je losmaak of niet?'

'Eh, ja, alsjeblieft ...' zei Gabz met een glimlachje vol hoop. 'Daar!'

'O, ja, natuurlijk,' zei Alfie. Vliegensvlug greep hij het hendel achter de hoofdsteun en hij trok er hard aan.

Onmiddellijk vlogen de klemmen open en Gabz was bevrijd.

Als een ridder in een blinkend harnas probeerde Alfie haar uit de stoel te helpen, maar daar wilde ze niet van weten.

'Het gaat wel, dank je,' zei ze smalend. Eigenlijk was ze een echte robbedoes en ze voelde zich niet lekker in de rol van jonkvrouw in nood. Ze zwaaide haar benen over de rand en sprong op de vloer.

'Kom mee!' zei Winnie.

Achter hen kwam de Tandenheks langzaam overeind. Ze was nog altijd in haar ogen aan het wrijven. Met één hand tastte ze achter zich en ze greep een van de antieke instrumenten die nog op het roltafeltje lagen. Aan het eind ervan zat een lange, puntige spijker. Met haar andere hand pakte de heks Gabz beet. Ze trok haar ruw naar zich toe en hield het wapen tegen de keel van het meisje ...

'Nog één stap en je vriendinnetje sterft!' fluisterde ze.

Winnie en Alfie bleven onbeweeglijk staan.

Maar de jongen kon het niet laten de stilte te verbreken. 'Als je maar weet dat ze mijn vriendinnetje niet is ...'

'Nee, hoor!' zei Gabz spottend, al doorboorde de spijker bijna haar keel. 'Met hem zou ik nooit optrekken!'

'En ik nooit ofte nimmer, in geen miljoen jaar met haar!' Alfie was het met haar eens, maar het deed hem toch een beetje pijn dat ze het zo nadrukkelijk gezegd had.

'Ik zou zelfs niet met je optrekken als je de laatste jongen op de hele wereld was!' antwoordde Gabz.

'Dit is niet het juiste moment!' schreeuwde de heks.

Ze greep het meisje bij haar dreadlocks en trok haar mee naar de verzilverde lachgasfles in een hoek van de kamer. Ze kroop daar schrijlings op en trok het tegenstribbelende en schreeuwende meisje voor zich. Daarna draaide ze aan de knop. Hoektand kon nog net op tijd achter haar springen, voordat de fles wegschoot als een raket en door het verduisterde raam vloog.

Alfie rende naar het raam en zag hen verdwijnen in de betrokken lucht. Achter hen zweefde een rooksliert.

'Vlug, Winnie!' schreeuwde Alfie. 'We moeten Gabz redden!'

Ze renden de trap af en sprongen op de brommer van de maatschappelijk werkster. Alfie hield zijn ogen op de lucht gericht, zodat Winnie de rooksliert kon volgen.

Ze raasden door de stad, reden een paar keer een straat in waar het niet mocht, scheurden door achtertuintjes en

steegjes en zelfs dwars door een supermarkt heen. De oude mevrouw Morrissey was daar maar even naar binnen gegaan voor een pakje spaghetti. Maar toen de brommer aangesnord kwam, sprong ze opzij en viel ze met haar hoofd naar voren in een vrieskast met ijsjes. Een paar tellen later had een verstrooide winkelbediende al een sticker met *Buitengewone aanbieding* op haar achterste geplakt.

'Sorry, mevrouw M!' riep Winnie en ze reed om tijd te winnen langs de snelkassa naar buiten. 'Ik bezorg u morgenmiddag zoals altijd uw warme maaltijd thuis!'

Toen ze de parkeerplaats op reden, gaf ze meer gas. 'Hou je vast!' riep ze toen ze de rooksliert weer zagen.

Maar nu leek het alsof die stil bleef hangen achter de volgende heuvel.

Toen ze de top van die heuvel bereikten, stopte Winnie.

'Kijk!' schreeuwde Alfie boven het geronk van de brommer uit. 'De heks heeft Gabz naar de oude koolmijn gebracht!'

'O nee!' zei Winnie. 'Daar loopt vanaf hier geen weg naartoe ...'

32

Dieper dan diep

Er werd in de stad al jaren geen steenkool meer opgehaald en de mijn was gesloten. Ze lag er nu verlaten bij, lelijk, in een zee van haar eigen vuil. Niemand keek er nog naar om. Om er indringers weg te houden was er een hoge metalen omheining opgetrokken. Met bovenaan prikkeldraad erop en overal schreeuwerige borden:

Alfie wist waar er een gaatje in de omheining zat. De oudere kinderen op school hadden het er vaak over. Hoe vreemd het ook mag klinken, de oude verlaten mijn trok heel wat jongeren nog altijd aan. Daar konden ze tenminste 's avonds iets gaan drinken of roken of zoenen, ver weg van de priemende ogen van volwassenen.

Het gaatje in de omheining was wel groot genoeg voor een kind, maar niet echt voor een dikke vrouw. Alfie vond het dan ook verstandiger eerst Winnie erdoor te laten kruipen. Maar zodra ze dat probeerde, bleven haar kleren al haken aan de scherpe punten van de draden.

'Help me, jongen!' gilde ze. 'Ik zit vast!'

Alfie bleef even staan kijken. De maatschappelijk werkster zag er niet erg waardig uit.

'Wat wil je dat ik doe?' vroeg hij.

'Duwen!' smeekte ze.

Alfie bekeek de situatie nog eens goed. Haar omvangrijke achterwerk was het enige wat hij van haar kon zien.

'Waar?' vroeg hij onschuldig.

'Op mijn billen!'

Aarzelend legde hij zijn handen op Winnies kolossale achterste.

'DUW!' riep ze.

Met zijn volle gewicht duwde hij tegen haar achterwerk. Zijn voeten gleden voortdurend weg in de modder. Het lukte niet. Hij ademde diep in en probeerde nog een keer uit alle macht. Het leek wel alsof hij tegen een auto duwde.

Maar uiteindelijk raakte Winnie toch door het gat.

Jammer genoeg deden haar kleren dat niet.

Haar kleurrijke jasje, blouse en legging hingen aan de scherpe draad. En het duurde even voor het tot haar doordrong dat ze daar nu in haar ondergoed zat. 'Ik heb het ineens nogal koud,' mompelde ze in zichzelf terwijl ze opkrabbelde.

Een paar tellen later keek ze naar beneden en zag ze dat ze alleen haar bh en haar onderbroek nog aan had. De bh was de grootste die Alfie ooit gezien had. Zowat groot genoeg voor twee voetballen. En heloranje. En haar onderbroek kon een kind gebruiken als tent om in te spelen. En die was felroze.

'Lieve hemel!' riep Winnie en ze keek vreselijk verlegen.

Alfie maakte haar kleren zo snel mogelijk los van de omheining. En om haar niet nog verlegener te maken, wendde hij zijn hoofd af toen hij haar de gescheurde kledingstukken aanreikte.

'O, dank je wel, Alfred, jongeman!' zei Winnie en ze pakte ze snel aan.

Alfie hield zijn hoofd afgewend tot hij haar niet meer hoorde kreunen en grommen terwijl ze alles weer aantrok.

Ten slotte slaakte ze een diepe zucht van opluchting. 'Vertel dit alsjeblieft aan niemand!' zei ze.

'Tuurlijk niet, Winnie!' zei Alfie, al wist hij niet zeker of hij die belofte wel altijd zou kunnen houden.

'De kleuren van mijn ondergoed pasten vandaag

niet bij elkaar!' riep ze uit. 'O, ik schaam me zo!'

Vanwaar ze stonden, konden ze zien dat de stilaan oplossende rooksliert tot net voor de ingang van de mijn hing. Voor de opening stond een reusachtige metalen kooi met een erg grote lift erin. Heel lang geleden bracht die lift Alfies vader en de andere mijnwerkers tot diep onder de grond. Honderden meters diep, in donkere tunnels, deden ze hun zware werk. Steenkool was toen nog de belangrijkste energiebron van het land. Dus werkten de mannen heel veel uren onder de grond. Ze groeven en hakten en boorden om brokken van het mineraal naar boven te kunnen halen. Daardoor had Alfies vader die vreselijke ziekte gekregen waardoor hij zo moeilijk kon ademen. Jarenlang was het stof van het boren in zijn longen gedrongen.

'De heks zal Gabz daar wel naar beneden gebracht hebben,' zei Alfie toen ze over stukken puin en door modder naar de ingang liepen. 'Pap heeft me verteld dat je alleen maar met de lift naar beneden kunt. We moeten achter hen aan gaan ...'

Winnie hield zijn hand vast om niet te struikelen. Lopen viel daar niet mee met schoenen met hakken. 'Alfred, je gaat nergens naartoe,' zei ze plots.

'Wát?' zei Alfie. Waren ze dan helemaal voor niets zo ver gekomen?

'Een oude, verlaten mijn!' riep Winnie. 'Nee, nee, nee. Veel te gevaarlijk. En als je maatschappelijk werkster heb ik de plicht voor je te ...'

Alfie kon zijn ontgoocheling niet verbergen toen ze ten slotte toch de reusachtige kooi bereikten waarin de lift stond. 'Maar wie weet wat de Tandenheks Gabz zal aandoen als we nu niet achter haar aan gaan!'

Hij liet zijn hand over het oude bedieningspaneel van de lift glijden, waar na al die jaren een dikke laag vuil op zat. Hij zocht de knop om de lift naar boven te brengen.

'Kom daar weg, jongen!' riep Winnie. 'Onmiddellijk!'

Kinderen doen vaak alsof ze je niet horen als je zegt dat ze iets niet mogen. Dat deed Alfie nu ook. En ten slotte vond hij toch de grote groene knop die hij zocht. Hij legde zijn hand erop en drukte en drukte. Maar de lift gaf geen kik. De stroom was vast jaren geleden al afgesloten.

'Zie je wel!' zei Winnie. 'We kunnen niet naar beneden. Het beste wat we kunnen doen, is hier wachten. Ik zal de politie bellen ...' Ze rommelde in haar limoengroene handtas, op zoek naar haar mobieltje.

'Aan agent Oen hebben we niets!' zei Alfie. 'We moeten Gabz nu redden!'

Hij zette zijn schouder tegen de metalen deur van de liftkooi en duwde ze uit alle macht op een kier. Hij keek naar beneden in het zwarte gat. Voor zover hij kon zien, was dat oneindig diep. Hij raapte een verdwaald stukje steenkool op en liet het in het gat vallen. In gedachten telde hij hoeveel seconden het duurde voordat het de bodem raakte.

Eén, twee, drie, vier, vijf, zes, zeven, acht, negen, tien, elf ...

Het gat was vast honderden meters diep.

'Kom van die rand weg, jongen!' riep Winnie en ze trok hard aan zijn hand.

Hij schudde zich los en ging enkele passen achteruit.

'O, gelukkig ...' zei ze en ze zuchtte opgelucht.

Ze kon natuurlijk niet weten dat Alfie een aanloop wilde nemen. Terwijl de maatschappelijk werkster een nummer intikte op haar mobieltje, scheurde hij de zakken uit zijn broek. Daarna schoof hij die over zijn handen alsof het handschoenen waren.

'Hij gaat over!' zei Winnie en ze hield haar mobieltje tegen haar oor.

Alfie rende vooruit zo snel als hij kon. Net voor het donkere gat sprong hij naar de dikke metalen liftkabel, die van boven tot beneden door de schacht liep. Die was glibberiger dan hij verwacht had. Eerst raakte de jongen in paniek doordat hij zo snel naar beneden gleed, alsof hij viel. Heel even dacht hij dat het met hem afgelopen was.

'Aaaaaaaaahhhhh!!!!!!!' riep hij.
'Nééééééééééééééééééé!!!!!!' riep Winnie.

Zo vlug als hij kon, sloeg Alfie zijn benen om de kabel en duwde hij ze er hard tegenaan. Gelukkig remde dat zijn vaart volledig af en kon hij zich nu hand voor hand langzaam in de mijn laten zakken.

'Kom terug!' gilde Winnie.

Haar stem galmde door de hele liftschacht.

Te laat. Alfie was beneden al verdwenen in de diepe duisternis.

33

Een kathedraal van tanden

Alfie keek naar boven en zag het daglichtvierkant boven aan de schacht kleiner en kleiner en kleiner worden. Hij bleef maar glijden en ten slotte was dat vierkant maar een lichtpuntje, niet groter dan een ster aan de hemel. Hij hing nu al honderden meters onder de grond. De spieren in zijn armen raakten erg vermoeid. Hij zou zich onmogelijk nog terug naar boven kunnen trekken. Hij kon alleen maar nog verder naar beneden …

Uiteindelijk raakten zijn voeten toch iets, maar het was zo pikkedonker dat hij niet kon zien wat het was. Beneden in de schacht was het nog donkerder dan donker.

Kijk maar hoe donker het daar was …

Alfie zag dus geen hand voor ogen, maar hij vermoedde dat hij nu boven op de lift stond. Waarschijnlijk was die diep onder de grond achtergelaten om daar te vergaan, net als alles in de verlaten mijn. Hij stampte er een paar keer op en uit het geluid van metaal leidde hij af dat hij gelijk had. Hij tastte in het rond en voelde iets wat waarschijnlijk het vluchtluik van de lift was. Hij trok het open en liet zich erdoor vallen. Hij duwde een andere deur van de kooi opzij en ineens zag hij in de verte een flauw geel licht. En nu kon hij ook vaag enkele lijnen onderscheiden tussen de donkere vlekken.

Hij stapte uit de lift en voelde koude steen onder zijn voeten. Hij stond nu in een van de honderden mijnschachten. Er liepen treinsporen. Hij wist dat er daar kilometers en kilometers van die sporen lagen. De mijnwerkers verplaatsten zich ermee voor hun werk en stuurden de volle wagentjes terug. Eigenlijk was het toen een miniatuurspoorweg. Maar nu de mijn verlaten was, leken het eerder sporen voor een spooktrein.

Helemaal aan het eind van de schacht flikkerde licht. Alfie liep erheen, langzaam en geluidloos. Toen hij dichterbij kwam en er schaduwen op de vochtige muren dansten, begreep hij dat het geen elektrisch licht was, maar kaarslicht. En toen hij het eind van de schacht bereikte, zag hij dat die uitliep op een goed verlichte grot.

Hij tuurde naar binnen.

Wat hij zag, had hij nooit kunnen verwachten. Het was een enorm grote grot. Ze leek wel eindeloos door te lopen. En ze werd verlicht door vele duizenden kaarsen.

Op het eerste gezicht was er geen spoor te bekennen van Gabz of van de heks en haar kat. In de grot stond een ontzettend lange tafel, maar er stonden geen stoelen rond. De tafel was wit en leek erg op een altaar, zoals in een kerk. Er stonden een schaal en een paar metalen drinkbekers op. Allemaal wit. En erboven hing een gigantische luster met honderden kaarsen. Op de wanden stonden tekens. Die leken op voorhistorische letters of op een soort geheimschrift. Ze deden Alfie aan de hiërogliefen van de Egyptische piramides denken, de koningsgraven. Tegen een van de wanden stond een indrukwekkende troon. Groot genoeg voor een reus. Zo groot dat hij tot tegen het gewelf van de grot kwam.

Was die grot een soort tempel?

Of een grafmonument?

Of gewoon de goedkoopste woning van de wereld?

Alfie stapte aarzelend de grot in. Hij wilde Gabz vinden en er dan snel vandoor gaan. Hij liet een hand over een van de tekens op de muur glijden. Misschien zat er in de wand een geheime deur. Het teken voelde opvallend scherp aan. Een van de scherpste punten haalde zelfs een van zijn vingers open. Die begon te bloeden en de jongen kon nog net een snik onderdrukken.

Terwijl er bloed van zijn vinger droop, stapte hij voorzichtig naar de onvoorstelbaar lange tafel toe en hij keek er even onder. Daarna bekeek hij aandachtig de bovenkant en hij stelde vast dat die uit duizenden kleine stukjes bestond. Wat waren dat? Hij raakte er zachtjes eentje aan. Net als de

tekens op de wand was het oneffen en gekarteld. Nieuwsgierig hield hij de drinkbeker vlak voor zijn ogen om hem te onderzoeken. De beker was ook gemaakt van ontelbaar veel kleine stukjes. Hij bleef ernaar kijken en uiteindelijk besefte hij wat het was.

De beker was gemaakt van honderden tanden!

Geschokt liet Alfie hem los en hij viel op de grond. Alfie bukte zich en raapte een paar van de stukjes op. Het waren allemaal tanden. Kindertanden. En alles in de grot was van tanden gemaakt: de tafel, de troon, de luster … Alles.

De grot was een kathedraal van tanden.

Een katandraal*!

Alfie begon bijna te schreeuwen, maar hij kon nog net op tijd zijn hand voor zijn mond slaan. Hoeveel kinderen in hoeveel steden hadden net zoals hij moeten lijden om de verblijfplaats van de heks in te richten? Het waren er vast duizenden geweest. Misschien wel tienduizenden. Jarenlang. Misschien zelfs eeuwenlang …

Met half toegeknepen ogen tuurde Alfie naar de

* Waarschuwing! Verzonnen woord.

verste, donkerste hoek van de grot. Daar stond een reusachtige met roest bedekte ketel, zo groot als een pierenbad maar veel dieper. Hij liep er op de toppen van zijn tenen naartoe en zag dat de ketel gevuld was met stinkende, dikke, gele smurrie. En onder de ketel woedde vuur. Het was Alfie meteen duidelijk: de Tandenheks was weer van die bijzondere tandpasta aan het bereiden.

Plotseling meende Alfie dat hij iets zag bewegen in het halfduister. Vlak boven de ketel was een meisje aan een soort stalactiet vastgeketend met boeien die van tanden gemaakt waren.

'Gabz!' zei Alfie.

'Alfie, ben jij dat?' fluisterde ze. 'Ik kon in het duister niet zien wie er naar me toe kwam. Ik dacht dat de Tandenheks teruggekomen was ...'

'Nee, hoor, ik ben het!' Alfie sloop nog wat dichterbij. 'Ik kom je redden!'

'Je hebt je niet erg gehaast!' antwoordde Gabz.

'Het spijt me, ik ...' Ineens vond Alfie dat ze dat toch wel weer erg spottend gezegd had. 'Luister, wil je dat ik je kom redden of niet?' zei hij geprikkeld.

'Ssst!' deed Gabz. 'Niet zo hard! De heks kan niet ver weg zijn ...'

'Oké, oké,' fluisterde Alfie. 'Hoe kan ik bij je komen om je los te maken?'

'Probeer die troon hierheen te slepen,' stelde Gabz voor.

KATTENBRAAKSEL

WRATTENSCHIJFJES

VLEERMUIZENSNOT

OORSMEER VAN EEN BEJAARDE MAN

PUS VAN EEN VIEZE STEENPUIST

WRATTEN

SPINNENPOTEN

SLANGENPOEP

NAVELPLUISJES

KAKKERLAKKENEIEREN

NEUSHAARTJES

GESTROOPTE HAGEDISSEN

SLAKKENBRIJ

KONIJNENKEUTELS

TENENKAAS

KIKKERSLIJM

GEDROOGD SCHURFT

KOFFIESNOEPJES

'Die ziet er erg zwaar uit ...'

'Het lukte de heks toch.'

'Ja, maar heksen hebben magische krachten.'

Gabz keek Alfie strak aan. Hij begreep dat het geen zin had haar tegen te spreken en sjokte naar de troon. Eerst probeerde hij die te laten schommelen, maar hij kreeg er geen beweging in. Toen zette hij zijn schouders ertegen, maar de troon week geen duimbreed.

'Ik kan beter naar de liftschacht lopen en om hulp roepen,' fluisterde hij. 'Blijf waar je bent ...'

Gabz rolde met haar ogen. 'Waar zou ik naartoe kunnen gaan, denk je?'

Alfie liep stilletjes terug naar de ingang van de grot.

Maar net toen hij daar aankwam, slaakte hij een kreet.

'AAAAAAARRRRRRRRRRGGGGGGHHHHHHHH!!!!!!!'

De zwarte ogen van de heks staarden hem recht aan. Al hing haar gezicht ondersteboven. Daardoor was Alfie heel even zo erg in de war dat hij niet wist wat er gebeurde. Toen keek hij op en zag hij dat ze aan het gewelf hing. Als een vleermuis. Met haar kat, Hoektand, in haar armen. En die blies vervaarlijk naar hem.

'Wees een grote jongen, Alfie,' zei de heks met haar zangerige stem. 'En kom maar bij mammie ...'

34

Kijk naar de lucht

'Ik wist dat je achter ons aan zou komen,' zei de Tandenheks zelfgenoegzaam. Terwijl ze dat zei, sloeg Hoektand haar staart om de benen van haar vrouwtje. 'Je wilde je vriendinnetje redden ...'

'Ik heb u toch al gezegd dat ze mijn vriendinnetje niet is,' antwoordde Alfie.

Even later hing hij ook aan een stalactiet geketend, naast Gabz. Zijn polsen en zijn enkels waren ook met van tanden gemaakte boeien vastgemaakt. Ze beten zelfs in zijn huid. Het was alsof de heks een spin was en hij en Gabz waren vliegen die ze in haar web gevangen had. Spinnen zijn natuurlijk niet gehaast om de vliegen die ze vangen op te eten. Ze zien ze graag lijden. En de Tandenheks zag dat ook graag.

‘Geweldig reddingsplan, hoor!’ zei Gabz.

‘Weet je, Gabz, dat is waarom ik je nooit als vriendinnetje zou willen!’ antwoordde Alfie. ‘Je ziet er leuk uit, maar je werkt echt op mijn zenuwen.’

‘Jij werkt op míjn zenuwen!’ zei Gabz.

‘Zwijgen!’ beval de heks. ‘Jullie werken allebei op míjn zenuwen! Jullie wilden mijn plan dwarsbomen de tanden van alle kinderen van de stad te stelen ...’

‘Voordat u ons kookt, of wat u ook met ons van plan bent, zou ik graag weten ...’

‘Ja, liefste Gabriella?’ spotte de heks.

‘Wat is een Tandenheks?’ vroeg Gabz.

‘Ja, vertel ons dat maar,’ drong Alfie aan. ‘Bewijs ons dat u een echte ...’

‘Geloof je het nog altijd niet?’ lachte de heks. ‘Hoe oud ben je, jongen? Elf?’

‘Nee, ik ben twaalf jaar,’ zei Alfie verontwaardigd.

‘Je ziet er jonger uit.’

‘Hij is erg klein voor zijn leeftijd ...’ stemde Gabz daarmee in.

‘Eigenlijk ben ik al twaalf en een half jaar,’ zei Alfie bits. ‘Bijna dertien!’

‘Nou ja, kinderen van jouw leeftijd – twaalf en een half, bijna dertien – denken dat ze alles weten,’ zei de heks. ‘Je denkt dat je al te oud bent voor verhaaltjes en mythen en legenden. Je wilt daar allemaal niet meer in geloven. Daarom zijn kinderen zoals jullie ook het makkelijkst te vangen ...'

'Oké, oké ...' antwoordde Alfie. 'Maar wat is er zo bijzonder aan tanden?'

De diepe, zwarte ogen van de heks begonnen te stralen. 'Ik wil ze hebben. Zoals diamanten of robijnen. Ik verzamel ze al eeuwen. Van overal op de wereld. Ik trek ervoor van stad naar stad. Nu woon ik hier en ik zal niet rusten **voordat alle tanden van alle kinderen** van deze stad **van mij** zijn!'

De Tandenheks haalde een tand uit haar zak en hield hem omhoog in het kaarslicht. 'Rotte en afbrokkelende tanden zoals die van jou, Alfie, dat zijn de mooiste. Kijk eens naar deze. Hij is perfect, met zijn prachtige gaatjes en barstjes. Kijk maar eens hoe het licht erop danst.'

'U bent gek!' riep Gabz.

'Dat zal ons zeker helpen,' mompelde Alfie.

De ogen van de heks vernauwden.
'Als het "gek" is tanden te willen hebben, waarom houden tandenfeeën er dan zo van?'

'Maar tandenfeeën bestaan niet ...' protesteerde Alfie.

De heks glimlachte. 'Toch wel, ze bestaan. Die vervelende

kleine weldoeners vliegen overal rond. Ik denk dat ik de meeste die in deze stad rondvlogen wel heb kunnen vangen. Het zijn lekkere hapjes voor Hoektand ...'

De kat likte haar lippen.

'Oké, heksen en feeën bestaan echt,' zei Gabz mijmerend. 'En wie nog meer? De Kerstman?'

'Gabz!' lachte Alfie. 'Die bestaat toch niet!'

'O ja, hij bestaat echt!' zei de heks.

'Yes!' riep Gabz triomfantelijk. 'Ik win!'

'De Kerstman is eigenlijk een vervelende oude vent,' vervolgde de heks. 'Hij loopt de hele tijd rond en wenst iedereen "Vrolijk kerstfeest!" toe. En door al die zoete pasteitjes laat hij voortdurend harde winden. Ga maar niet achter hem staan als hij zich bukt om iets in een sok te stoppen ...'

Alfie voelde er niets voor om zich een windenlatende Kerstman voor te stellen nu zijn laatste uur misschien geslagen had. Dus onderbrak hij haar vlug. 'Maar waarom wilt u zo veel tanden hebben?' vroeg hij.

'Om mijn heksenverblijf te kunnen inrichten. Ik heb er elke dag nog meer nodig. Ik heb grootse plannen ...' De heks was nu echt op dreef. 'Zie je die muur daar?'

De kinderen knikten.

'Daar ga ik een groot gat in maken. Zo ga ik de grot uitbreiden en zal ik een grote, open leefruimte krijgen …'

Alfie en Gabz keken elkaar even aan. Ze konden nog altijd niet geloven dat ze aan het gewelf van een grot hingen en naar een heks luisterden die hen haar saaie verbouwingsplan uit de doeken deed.

'Tanden verzamelen is tegenwoordig heel gemakkelijk,' vervolgde de heks. 'Jaren geleden werden heksen zoals ik gevangen en in een rivier verdronken of op de brandstapel gezet. Maar nu geloven kinderen niet meer in magie. Ze kijken alleen maar tv of spelen computerspelletjes. Ze kijken nooit meer naar de lucht. Als ze dat wel deden, zouden ze mij en mijn kat 's nachts over de stad zien vliegen, van huis tot huis. Hoektand kan een verse tand mijlenver ruiken …'

De kat blies instemmend.

'We vliegen naar de slaapkamer van een kind, vliegen geluidloos naar binnen en pakken de tand …'

'Maar waarom legt u altijd iets afschuwelijks onder de kussens van de kinderen?' wilde Gabz weten.

De heks glimlachte. Haar puntige snijtanden blonken in het kaarslicht.

'Omdat ik slecht ben, meisje. Door en door slecht. Daardoor vind ik het allemaal zo leuk! Ik zoek die kleine geschenkjes voor de kinderen heel zorgvuldig uit. Ik zoek de grootste kakkerlakken, sla padden plat met een houten hamer, hou de oogballen van varkens warm, zodat ze nog kunnen kronkelen …'

'U bent gestoord!' riep Alfie boos.

'Dank je wel. En ook getikt, vergeet dat niet. Maar hoe graag ik ook complimentjes krijg, ik word ons gesprek stilaan beu ...'

Gabz en Alfie slikten hoorbaar.

'Wat gaat u met ons doen?' waagde Gabz te vragen.

'In deze ketel kook ik mammies speciale tandpasta ...'

'Dat spul brandt door steen!' zei Alfie.

'Ja, het zuur dat erin zit, kan alles vernietigen. Als ik jullie er precies lang genoeg in onderdompel ...'

'Wat gebeurt er als u ons erin onderdompelt?' vroeg Gabz nerveus.

'Dan bijt de pasta het vlees netjes van je af ...' De Tandenheks genoot van de woorden die ze uitsprak, alsof ze een bijzonder lekker ijsje at. 'Alleen je botten zullen overblijven ...'

35

Een feestmaal van botten

'Het wordt ongetwijfeld een lange, pijnlijke doodsstrijd, kinderen,' legde de heks hun uit. 'Precies zoals ik het graag heb. En dan ga ik een feestmaal maken met je botten ...' Ze keek naar haar trouwe witte kat. 'Raad eens wat je straks te eten krijgt, Hoektand!'

De oren van de kat gingen rechtop staan en ze keek haar vrouwtje aan.

'Juist, Hoektand! Lekkere knapperige kinderbotjes ...'

Hoektand begon tevreden te spinnen.

Ineens klonk er in de verte een echo.

De kat draaide haar kop en blies.

De Tandenheks hield haar hoofd scheef. Ze rende naar de gigantische, loodzware tandentroon en trok hem met haar bovenmenselijke kracht tot voor de ketel. Ze ging erop staan en begon de kettingen los te maken van de polsen van de kinderen. Ze beefden nu allebei van angst.

'Ik ga jullie samen in de ketel laten vallen ...' zei de heks. 'Dan kunnen jullie elkaar horen schreeuwen als jullie sterven ...'

'Eigenlijk zou ik er geen bezwaar tegen hebben als u Alfie er eerst in zou laten vallen ...' Gabz probeerde met wat zwarte humor de situatie een beetje te verlichten.

‘Ik dacht dat “*ladies first*” de regel was?’ zei Alfie.

In een oogwenk had de heks hun polsen losgemaakt. Ze hingen nu met hun hoofd vlak boven de vieze, pruttelende smurrie. Die stonk zo hard dat ze haast niet meer konden ademen.

‘Alstublieft, alstublieft, alstublieft, ik smeek u …’ kreunde Alfie. ‘Mij mag u koken, maar laat Gabz gaan, zij heeft niets verkeerds gedaan!’

Maar de heks wilde niet op zijn verzoek ingaan. ‘Menselijke emoties,’ mompelde ze. ‘Echt zielig …’ Ze verschoof de troon een beetje, ging er weer op staan en begon hun enkels los te maken. ‘Maak je maar geen zorgen, kinderen,’ kweelde ze opgewekt. 'Mammie is bijna klaar. Het zal nu niet lang meer duren ...'

Alfies linkerbeen schoot los en hij zakte nog wat. Zijn haar raakte nu de giftige brij en de puntjes werden eraf gebrand.

Ver weg, ergens in de mijn, klonk nu duidelijk een rammelend geluid.

De heks had het een beetje moeilijk met de laatste boei van de jongen. 'Het is heel leuk als je alles van tanden kunt maken, maar het is wel een heel karwei om dit weer los te krijgen ...'

Maar Hoektand schoot haar vrouwtje te hulp. Ze sprong op haar schouder en begon met haar scherpe tanden aan de boei te knabbelen.

Alfie kon nu elk ogenblik in de brij vallen ...

Plotseling zag hij in de schacht die naar de grot liep iets ijlings over het gewelf naar hen toe bewegen. In een flits begreep hij dat het niet over het gewelf was, want hij hing natuurlijk ondersteboven. Het was op de grond! Een trein! Er kwam een trein recht naar hen toe terwijl hij en Gabz daar hingen als grote stukken vlees bij de slager ...

Hij gaf Gabz een teken dat ze zich heel stil moest houden. Hij wilde niet dat de Tandenheks iets zou merken.

Hij glimlachte. Het vriendelijke gezicht van de persoon die de locomotief bestuurde, kende hij heel goed.

Het was zijn vader.

36

Gesmoorde kreten

Toen ze uiteindelijk de locomotief hoorde ratelen, keek de Tandenheks om.

'Ik vervloek je!' fluisterde ze.

Ze werd nu nog kwaadaardiger. Haar lange, spichtige vingers en Hoektands scherpe tanden vlogen over de laatste boei om die los te krijgen en Alfie met zijn hoofd naar voren in de ketel te laten vallen.

Hij keek naar beneden en begreep dat het nog maar enkele seconden zou duren voordat hij een geraamte werd.

De locomotief raasde door de ingang van de grot en daverde over de sporen recht naar de heks toe.

Net toen zij en haar kat de laatste tanden van Alfies boei losmaakten, boorde de locomotief zich met een oorverdovende …

BANG

KRAAAAK

DREUN

… in de troon

De Tandenheks verloor haar evenwicht en samen met haar kattenbeest plonsde ze in het bijzondere tandpastamengsel.

'AAAAAAAAAAA HHHHHHHHHHHHHH HHH!!!!!!!' schreeuwde de heks.

‘SSSSSSSssssss SSSSSsssssssssssHHHH hhhhhhhh!’ blies de kat.

In een paar tellen verdwenen ze in de dikke, gele smurrie en werden hun kreten gesmoord.

Tot zijn eigen verbazing leefde Alfie nog. Gabz had hem nog net op tijd bij een enkel kunnen grijpen. Nu zwierde ze enkele keren heen en weer en liet ze hem los. Hij vloog netjes over de rand van de ketel. Alsof ze in een circus een act opvoerden aan de trapeze.

Alfies vader zag zijn zoontje door de lucht vliegen en hij kon hem nog net bij een arm grijpen en hem veilig naar de locomotief toe trekken.

De jongen deed zijn ogen open en zag dat hij nu met zijn vingertoppen vooraan aan de locomotief hing.

Maar toen hij even achter zich keek, stelde hij vast dat hij daar helemaal niet veilig hing.

De locomotief raasde in volle vaart naar de wand van de grot!

'Pap!' gilde de jongen. 'De remmen!'

Zijn vader trok het hendel van de remmen op en met een oorverdovend gekrijs kwam de locomotief tot stilstand. Alfie hing maar een haartje van de rots af.

'Dank je!' zuchtte hij.

'Daarvoor zijn er vaders ...' hijgde pap.

Al het stof en het vuil in de grot was niet goed voor zijn longen. De dokters hadden gezegd dat hij nooit meer in de mijn mocht komen, want nog één keer koolstof inademen kon zijn dood betekenen. Maar nu had hij maar aan één ding kunnen denken. Zijn zoon redden.

'Pap, je hebt de Tandenheks gedood!' riep Alfie. 'En de kat!'

‘Allemaal in één dag!’ grapte pap.

‘Hoe wist je dat ik hier was?’

‘Winnie belde me op. Ze dacht dat ik wel de enige zou zijn die hier de weg wist. Nu is de hele stad op weg naar hier …’

‘Winnie is een schat,’ zei de jongen.

‘Ahum!’ kuchte Gabz veelbetekenend.

‘O jee!’ zei Alfie. ‘Sorry, Gabz!’

‘Nou, ik hang wel graag met mijn hoofd naar beneden boven een kokende heksenketel, hoor!’ zei ze. ‘Maar ik vroeg me toch af of je me misschien zou kunnen losmaken!’

Pap keek naar haar. ‘Wie is dat, jongen? Je vriendinnetje?’

‘NEE!’ riep Alfie. ‘Voor de allerlaatste keer, ze is mijn vriendinnetje niet!’

‘Oké!’ zei pap en hij begon weer te hoesten. ‘Ik vroeg het maar.’

Zo hard als hij kon, trok hij aan een hendel en de locomotief reed traag achteruit tot bij de ketel. Alfie sprong eraf en kroop er daarna weer op tot helemaal boven. Daar ging hij op zijn tenen staan en verloste hij Gabz van haar boeien. Heel even voelde hij zich opgelaten. Toen hij daar enkele tellen stond en het meisje dat heel zeker zijn vriendinnetje niet was ondersteboven bij haar enkels hield. Maar pap boog naar hen toe en trok haar op de locomotief.

Gabz sprong naar beneden en landde op een zak die in het wagentje achter de locomotief lag.

'Kijk uit!' hijgde pap.

'Waarom?' vroeg Gabz.

'Dat is dynamiet!' antwoordde hij.

'Cool!' zei het meisje.

Alfie wist alles van het gebruik van dynamiet in koolmijnen. Zijn vader had hem vaak verteld dat hij een harde rots had moeten opblazen om bij de steenkool te kunnen die erachter zat.

Het gezicht van Gabz klaarde op. Ze had een idee. 'Laten we dat dynamiet gebruiken om de ingang van de grot af te sluiten ...'

'De heks is dood!' antwoordde Alfie. 'Laten we hier maar gewoon weggaan!'

Dat zouden ze ook doen, maar ...

'Kijk!' riep het meisje.

Achter hen rezen de Tandenheks en haar kat op uit de brij in de ketel. Al hun vel en vlees was weggebrand. Ze waren allebei skeletten.

De skeletten stonden op hun benige voeten en kwamen achter hen aan.

Snel.

37

Skeletten in opmars

De skeletten kwamen recht naar hen toe gestapt. De heks liep voorop, de kat volgde haar op haar hielen met haar lange, dunne staart rechtop.

‘We kunnen haar niet tegenhouden!’ riep pap. ‘We moeten hier weg! Nu!’ Hij trok aan het hendel en de trein reed snel achteruit de grot uit.

Gabz begon in de zak te rommelen.

‘Wat ben je aan het doen?’ vroeg Alfie.

‘Ik ga dynamiet pakken, dan kunnen we haar insluiten!’ antwoordde Gabz. ‘Kijk even of je een aansteker of zo kunt vinden ...’

Alfie keek onder een andere zak en vond een doos met wat oude lucifertjes. Met bevende handen probeerde hij het dynamiet aan te steken.

‘Voorzichtig zijn, hoor!’ riep pap hen toe.

‘Niet wegwerpen voordat ik het zeg!’ blafte de jongen.

Ze staarden allebei nerveus naar de dynamietstaaf terwijl de lont langzaam opbrandde.

'Nu!' schreeuwde Alfie net voor de trein de ingang van de grot bereikte.

Het meisje gooide de staaf in de lucht …

Het dynamiet ontplofte en er vielen grote rotsblokken achter de trein in de ingang. Een gigantische wolk stof en puin vulde de mijnschacht.

'Het is gelukt!' juichte Alfie.

KKKKAAAAA

BOOOOOOOEEEEEE

De trein reed nu snel door de centrale schacht. Naar de lift, die hen naar boven zou brengen. Waar het nu veilig was.

Een hele tijd was er niets anders te horen dan het ratelen en ronken van de trein.

Maar ineens zag pap iets in de duisternis.

'Nee!!!' riep hij.

De kinderen draaiden zich om en zagen dat de twee skeletten – een menselijk en een dierlijk – hen volgden op de lachgasfles.

‘Mammie gaat je pakken!’ schreeuwde het heksenskelet.

‘Pap, laat dat ding sneller rijden!’ riep Alfie.

‘Hij kan niet sneller!’ stamelde pap.

De gasfles haalde de trein in. Pap probeerde wanhopig de naar hem meppende klauwen van Hoektands skelet te ontwijken.

Het heksenskelet giechelde toen het restant van haar kat de man gemeen op zijn hoofd krabde.

Gabz hield de tweede dynamietstaaf vast en Alfie stak de lont aan.

AAAAAABBBBB
MMMMMMMMM!

‘Laat mij die maar werpen,’ zei hij.

‘Nu!’ riep ze een paar tellen later.

Alfie keilde de staaf naar het kwaadaardige duo, dat nu vlak achter hen vloog.

KKKKAAAAAAABBBB
BOOOOOEEEEEEEMMMMMM!

De explosie bracht de twee skeletten uit hun evenwicht, maar kon ze niet tegenhouden.

Hun botten rammelden toen ze begonnen te scharrelen om op de fles te blijven.

'We hebben nog maar één dynamietstaaf!' waarschuwde Gabz de jongen.

Het kattenskelet sprong van de gasfles en landde met uitgestoken klauwen op paps hoofd.

SSSSSSSSSSSSSSSSsssssssssssssssHHHHHHHHHHHHHHHHHHHHHHHHH
HHHHHHHHHHHH!!!!!!!

Ze klauwde over zijn hoofd heen tot haar staartbeen recht in de neus van de arme man drong.

'AAAAAAAHHHHH!' schreeuwde hij toen het beest haar scherpe tanden in zijn arm sloeg. Door de pijn schoot zijn hand van het gashendel en de locomotief begon schokkend trager te rijden.

Ondertussen hield Gabz de laatste dynamietstaaf vast en had Alfie de lont al aangestoken.

Net toen ze hem wilde wegwerpen …

De remmen piepten en de trein stopte.

De dynamietstaaf viel uit Gabz' hand en tuimelde in het wagentje. De lont brandde en werd snel korter en korter. De staaf kon elk ogenblik ontploffen …

38

Mammie gaat je opeten

'Springen, Gabz!' schreeuwde Alfie.

Het meisje wipte van het treinwagentje.

Alfie sprong naar zijn vader toe en kon hem nog net uit de locomotief trekken voor het dynamiet ontplofte.

In het gewelf werden stukken rots losgerukt en die vielen boven op hen. Het kattenskelet zocht beschutting bij

KKKKAAAAAAAABBBBBOO

het heksenskelet, dat even verderop van de gasfles getuimeld was. Door de explosie was de fles lekgeslagen. Ze lag nu op de grond te sissen en het zoetgeurende gas verspreidde zich in de schacht.

In de stofwolk achter hem kon Alfie het heksenskelet zien opkrabbelen.

De trein was nu een deerlijk gehavend wrak. En ze stonden nog ver van de lift vandaan. Pap lag onder een berg rotsblokken. Die hadden het laatste greintje kracht dat hij nog in zich had gebroken.

'Loop weg, haha, jongen!' hijgde pap toen Alfie de blok-

ken van hem weg begon te gooien. 'Haha! Red jezelf! Waarom, haha, lach ik nu? Er valt toch niets te lachen! Haha!'

'Dat zal, hahaha, door het lachgas komen, hahaha!' antwoordde de jongen. 'Ik lach, haha, ook! Ik wil je hier, hahaha, niet achterlaten! Kom me, haha, helpen, Gabz. Pak hem bij zijn arm! Haha!'

De kinderen begonnen pap door de schacht te sleuren.

'Ik ben, haha, zwaar ...' hijgde hij. De lucht rommelde nu in zijn borst. 'Laat me maar, haha ...'

'Nooit!' zei Alfie. 'Haha!'

Samen met Gabz trok hij pap met hen mee, steeds dichter naar de lift toe.

'Haha!' lachte het heksenskelet en haar botten rammelden. 'Mammie komt je opeten!'

Zelfs Hoektands skelet kon het niet laten te grinniken.

Met haar bovenmenselijke kracht duwde het heksenskelet de locomotief en het wagentje opzij.

Alfie en Gabz renden zo snel als ze konden weg en sleepten pap achter hen aan.

Uiteindelijk kwamen ze dan toch bij de lift. De rolstoel lag naast de metalen deur, waar pap hem achtergelaten had. Ze tuimelden alle drie in de lift en met al zijn kracht sloot Alfie de deur achter hen.

De twee skeletten waren er ook al. De botten van hun handen, benen en poten rammelden tegen de deur toen ze verwoed probeerden die te openen.

'Hoe kan ik de lift laten werken?' vroeg Alfie wanhopig.

'Je moet gewoon die twee losse draden met elkaar verbinden,' hijgde pap. 'En dan aan het bovenste hendel trekken ...'

Gabz hield de draadjes tegen elkaar en Alfie trok aan het hendel. De lift kwam moeizaam op gang.

Ze stegen naar de begane grond en lieten het kwaadaardige duo beneden achter.

Alfie slaakte een zucht van opluchting. 'Het gaat ons lukken, pap!'

Maar zijn opluchting duurde niet lang …

Toen de lift vertrok, hadden de skeletten zich vastgeklampt aan de vloer. Ineens drongen nu de lange vingers van het heksenskelet door de gaten in het hout en ze grepen naar de voeten van de kinderen.

Pap was erg toegetakeld, maar hij kroop toch over de vloer. Met zijn laatste greintje kracht probeerde hij de handen van het heksenskelet weg te slaan. Maar nu wilde het nog verder naar binnen dringen. Het verbrijzelde de vloer alsof die van papier was.

Ondanks paps verwoede pogingen om het tegen te houden wrong het zijn hoofd door de vloer en het beet met zijn messcherpe tanden hard in Gabz' enkels.

‘AAAAAAaaaaaaaaaaa
aaaaaaaaaaaaaaaaaaaaaaaa
aaaaaaaaaaaaaaaaaaaaaaaa
aaaaaaaaaaaaaaaaaaaaaaaa
ahhhhhhhhhhhhhhhhhh
hhhhhhhhhhhhhhhhhhh
hhhhhhhhhhhhhhhhhhh
hhhhhhhhhhhhh!!!!!!!!!!!!’

schreeuwde het meisje.

Hoektand, het kattenskelet, hing met een benige poot te zwaaien onder de lift. En met haar andere poot klauwde ze woest naar paps handen. Het beest wilde hem verhinderen haar vrouwtje aan te vallen. Maar wat pap ook deed, het heksenskelet liet zich niet afschrikken. Het omklemde Gabz’ enkels nog steviger. ‘Mammie gaat je opeten!’ grauwde het.

39

Een laatste hap lucht

Ten slotte hield de lift toch halt op de begane grond. Alfie knipperde tegen het daglicht. Toen zijn ogen zich aangepast hadden, zag hij dat de hele stad zich verzameld had voor de ingang van de mijn. Winnie stond helemaal vooraan, Raj was in elkaar gedoken achter haar blijven staan. Agent Oen staarde naar wat er zich voor zijn ogen afspeelde. Zijn mond hing zo wijd open van verbazing dat er wel een politiecombi in kon rijden. De lieve mevrouw Morrissey was achter de me-

nigte aan gehobbeld, met de *Buitengewone aanbieding*-sticker nog op haar achterste.

Zelfs alle leerkrachten van Alfies school waren naar de verlaten mijn gehold. Ook zij wilden zien wat daar in vredesnaam aan de hand was. Was het waar dat er een echte heks op de vlucht was?!

Meneer Snood zag er natuurlijk een opzienbarende 'impro' in. Juf 'Onderbroek' Haas klemde zich vast aan de bevende schooldirecteur. Ze was bang dat door al die opschudding haar ondergoed weer te zien zou zijn. Achter hen stonden de conciërge, de secretaris en een hele horde leerlingen. En helemaal achteraan stond de sms-jongen. Hij merkte niet veel van de drukte, want hij was verwoed aan het sms'en.

Toen ze zagen dat het heksenskelet aan Gabz' enkel knaagde, snakte iedereen naar adem. Behalve Winnie. De onverschrokken maatschappelijk werkster stormde naar de lift toe en rukte de zware metalen deur open.

'Red de kinderen ...' hijgde pap.

Winnie greep Alfie en Gabz en probeerde hen naar een veilige plek te sleuren. Met de jongen lukte dat, maar het heksenskelet had haar tanden al diep in het been van het meisje gezet. En ze liet het niet los.

'Aaaaaah!' schreeuwde Gabz.

De wrede tanden van het heksenskelet beten al tot op het bot.

Alfie sloeg zijn armen om Winnies middel en hielp haar wanhopig trekken.

'Kom allemaal mee!' riep Raj moedig. Hij onderdrukte zijn angst en rende naar de lift om zijn gewicht ter beschikking te stellen om Gabz te redden. Hij pakte Alfie beet en trok zo hard als hij kon. En agent Oen kwam ook in actie. En ook de meestal schuchtere meneer Grijs. En ten slotte sloten alle leerkrachten zich aan bij de menselijke ketting. Even later was iedereen betrokken in de heldhaftige strijd tegen het heksenskelet. Zou dat duivelse wezen het ooit opgeven?

Behalve de sms-jongen, natuurlijk. Hij was nog altijd veel te druk aan het sms'en.

Vanuit haar ooghoeken zag Winnie hem ineens staan.

'Lieve hemel, jongen, stop die vervloekte telefoon toch even weg!' bulderde ze.

De onnozele jongen was zo vreselijk in de war dat hij zijn mobieltje onmiddellijk wegstopte en ook ging helpen trekken.

Alle inwoners van de stad waren nu aan het trekken en trekken en trekken.

'Trek!' riep Winnie. 'TREK! TREK!'

En met een laatste inspanning van de hele groep lukte het toch Gabz los te rukken uit de kaken van de heksenschedel.

Iedereen viel op een grote hoop op de grond. En haast vermorzeld helemaal onderaan lag de arme mevrouw Morrissey.

Het heksenskelet had zich nog verder door de vloer van de lift gewrongen. Haar kat klom op haar schouders. Moordzuchtig van woede keek het heksenskelet naar de menigte. Haar witte schedel blonk nog harder dan haar tanden ooit gedaan hadden en de botten van haar borstkas rammelden hard van razernij.

'Ik ga alle kinderen van de stad opeten!' brulde ze. 'Ik ga ze levend koken en een feestmaal maken van hun botten!'

Iedereen deinsde dodelijk geschrokken achteruit.

Alfies vader lag roerloos op de bodem van de lift. Zijn gezicht was bleek en vertrokken. Hij kon haast niet meer ademen. En hij had zo veel pijn dat hij zijn ogen nog amper open kon houden. Hij had geweten dat hij niet meer levend uit de mijn zou komen. Hij hijgde en nam een laatste hap

lucht. Met zijn allerlaatste kracht stak hij zijn hand op en het lukte hem nog net het gehavende bedieningspaneel van de lift te bereiken.

'Winnie,' hijgde hij. 'Beloof me dat je voor mijn kleine pup zult zorgen ...'

'Pap!' riep Alfie.

'Ik hou van je, jongen ...'

Met zijn allerlaatste greintje kracht rukte hij een draad van het paneel los.

Heel even bleef de lift stil hangen. Alsof hij zweefde. Maar toen schoot hij ineens door de schacht en sleurde hij de twee skeletten mee in de diepte.

'Neeeeee!' schreeuwde Alfie toen hij zijn vader uit het zicht zag verdwijnen.

Maar de jongen kon niets doen om het te voorkomen.

Winnie pakte hem vast en hield hem tegen zich aan. Alfie kneep zijn ogen dicht en drukte zijn hoofd tegen haar borst.

Hij had zijn vader voor de laatste keer gezien.

De heks was dood.

Maar nu zijn vader er niet meer was, voelde de jongen zich toch niet opgelucht.

De man was een held. Hij had zijn leven gegeven om zijn zoon en Gabz te redden, maar ook alle andere kinderen van de stad.

Later die avond daalde een ploeg brandweermannen af in de mijn om het lichaam van zijn vader naar boven te halen. Ze stelden vast dat zijn offer niet zinloos geweest was. De skeletten van de heks en haar kat waren in stukken uit elkaar gevlogen. Er bleef eigenlijk alleen nog maar stof van over. De kinderen van de stad hoefden nooit meer iets te vrezen van de Tandenheks.

Maar hun dood had verschrikkelijk veel gekost.

Een kleine jongen was wees geworden.

40

Een groot, knus hoofdkussen

De zon scheen toen pap begraven werd. Het was een koude winterochtend, een paar dagen voor Kerstmis. Het vroor aan de grond. De kerk zat stampvol. Alle stoelen waren bezet. Wie niet naar binnen kon, volgde de plechtigheid buiten via luidsprekers. De hele stad was gekomen om de moedige man de laatste eer te bewijzen.

Als enig familielid zou Alfie vooraan helemaal alleen gezeten hebben. Maar Winnie zat naast hem en ze gaf Raj een teken dat hij aan de andere kant van de jongen moest komen zitten.

De krantenverkoper was de eerste die in tranen uitbarstte. Winnie reikte hem een papieren zakdoekje aan. Omdat hij al bijna dertien was, wilde Alfie zich sterk houden, maar het duurde niet lang voor er tranen over zijn wangen stroomden.

De gezangen en gebeden konden hem niet echt troosten, maar toen Winnie haar arm om zijn schouders legde, voelde hij zich wel wat beter.

Nu zijn vader er niet meer was, wist de jongen zeker dat hij nooit meer gelukkig zou kunnen zijn. Zijn gezicht was nat van de tranen en hij duwde zijn hoofd tegen het grote, knusse hoofdkussen dat Winnie was. Woorden waren eigenlijk overbodig, hij had er alleen maar behoefde aan vastgehouden te worden.

Alfie verbleef nu al enkele dagen in Winnies flat.

Ja, ze droeg kleren die zo veelkleurig waren dat je knallende hoofdpijn kreeg als je ernaar keek.

Ja, ze reed met haar brommer alsof ze in haar eentje een motorclub was.

Ja, ze at altijd het laatste koekje op.

Maar langzaam maar zeker begon Alfie toch van haar te houden.

Toen de begrafenisplechtigheid zo goed als afgelopen was, begon de kerk stilaan leeg te lopen.

'Ik weet dat je vader erg trots op je geweest zou zijn, Alfred,' zei Raj en hij streek de jongen over zijn haar. 'Hou je sterk,' voegde hij er nog aan toe, maar toen begon hij weer te huilen en hij slofte de kerk uit.

Gabz had op een stoel in de rij achter Alfie gezeten en stond nu ook op het punt om naar buiten te gaan. Ze boog naar hem toe. 'We zullen een geweldig verhaal hebben om aan onze kinderen te vertellen,' fluisterde ze in zijn oor.

Alfie glimlachte triest. 'Ze zullen heel graag horen dat hun grootvader een held was ...'

'Zeker weten!' zei Gabz. Ze gaf hem een tedere zoen op zijn wang en liep naar buiten.

Even later waren Alfie en Winnie nog de enigen in de kerk. De jongen voelde zich nog niet klaar om naar buiten te gaan, waar zo veel mensen stonden. Hij boog zijn hoofd langzaam naar haar toe en Winnie drukte het tegen zich aan.

Zo bleven ze daar even zitten en sniften ze hun tranen weg.

'Hoe gaat het met je tanne?' vroeg Winnie uiteindelijk zacht.

'Mijn wat?' vroeg Alfie.

'Je tanne!'

'Mijn tanden, bedoel je?'

'Ja. Dat zei ik toch.'

Winnie had een afspraak voor hem gemaakt met een erg vriendelijke tandarts in de nabijgelegen stad.

Mevrouw Glans had urenlang gewerkt om hem een prachtig nieuw gebit te bezorgen.

'Ze zitten perfect, dank je wel.' Hij liet zijn tong over zijn schitterende nieuwe tanden glijden.

'Alfred, ik zou heel graag ongedaan maken wat er gebeurd is, maar dat kan ik niet,' zei Winnie. 'We moeten nu naar de toekomst kijken. En net voor je vader stierf, vroeg hij me hem iets te beloven. Ik weet dat het misschien niet het juiste moment is, maar ...'

'Maar?' vroeg de jongen.

'Maar we moeten nu eenmaal even praten over wie voor je gaat zorgen ...'

'O!' zei Alfie. Hij verbleef al een paar dagen bij de maatschappelijk werkster. Maar nu zijn ouders er allebei niet meer waren, zou hij wel geadopteerd moeten worden. 'Tja, Winnie, vroeg of laat zouden we er toch over moeten praten ...'

'Juist. Weet je, als je maatschappelijk werkster heb ik over je gepraat met de adoptiecommissie ...'

'O ja?'

'Ja. En er zijn verschillende mogelijkheden. Ik ken enkele heel leuke paartjes die je graag zouden willen hebben ...' Haar zin stierf weg, maar ze ademde diep in om verder te kunnen praten. 'Weet je, ik heb lang en diep nagedacht over wat je vader me vroeg de dag dat hij overleed ...' zei ze met door emoties gebroken stem.

'En?' Ging ze nu zeggen wat hij hoopte dat ze zou zeggen?

'Nou ...' begon ze opnieuw. Het was niet gemakkelijker voor haar dan voor hem. 'Ik vroeg me af of ...' De arme vrouw moest nu echt naar woorden zoeken. 'Nou, ik vroeg me af of je erover zou willen nadenken je door mij te laten adopteren ...'

Er welde een traan op in Alfies ogen, maar toch glimlachte hij. Soms kun je je tegelijk triest en gelukkig voelen. Nu was het zo'n moment.

'O, Winnie!' riep hij uit. 'Ik hoopte dat je dat zou zeggen!'

'En?' slikte ze.

'Ja! Ja! Ja! Natuurlijk wil ik dat! Ik hou van je, Winnie!'

'Ik hou ook van jou, Alfredje!' riep Winnie nu. Ze sloeg haar dikke armen om hem heen en drukte hem tegen zich aan.

Alfies gezicht verdween helemaal in haar molligheid en een paar tellen later hoorde ze een stem ...

'Sorry, maar je drukt me helemaal plat!'

'O jee!' zei ze en ze maakte haar greep wat losser. 'Is het zo beter?'

'Ja,' antwoordde Alfie en hij sloeg zijn armen ook om haar heen. 'Veel beter. Heel veel beter ...' Niemand kon zijn vader vervangen, maar bij Winnie voelde hij zich veilig.

En warm. En nog belangrijker: hij voelde dat ze van hem hield.

Hoe het afliep

De volgende keer dat Alfie naar de kerk ging, was bij een veel vrolijker gelegenheid. Het gebeurde de volgende zomer en tot verbazing van de hele stad ging Winnie eindelijk trouwen.

Maar met wie?

Al was Alfie al een tiener, toch had ze hem gevraagd of hij haar bruidsjonker wilde zijn. Eigenlijk was dat altijd een klein jongetje. Toen ze het hem vroeg, wist hij niet eens wat een bruidsjonker was. En, nog belangrijker, ook niet wat een bruidsjonker moest aantrekken. Dus had hij maar ja gezegd. Hij wist natuurlijk niet dat Winnie haar geadopteerde zoon op haar trouwdag een matrozenpakje zou laten dragen.

Nu droeg hij een soort uniformjasje, een korte broek, kniekousen en een pet waarvan Winnie beweerde dat die 'zwierig op zijn hoofd moest staan'.

Nou goed, het is haar trouwdag, dacht hij.

Maar hij was die dag niet de gekst uitgedoste persoon in de kerk. Nee, hoor! En ook de bruid was dat niet. Al droeg ze een verblindend kanariegele trouwjurk met talrijke frutseltjes en laagjes en een lange sleep met tierelantijntjes. Winnie zag eruit alsof iemand een heteluchtballon in een enorme emmer custard ondergedompeld had. Maar mooi, op een heteluchtballonnige[*] custardachtige[**] manier.

Toen ze over het middenpad liep met haar geadopteerde zoon een paar passen achter zich aan, die haar sleep droeg, zagen ze de bruidegom stralend voor het altaar staan.

De man stond apetrots te wachten op zijn prachtige bruid en hij knabbelde op een karamel waarvan de houdbaarheidsdatum al lang verstreken was. Ja, hoor, de meest begerenswaardige vrijgezel van de stad had een nieuwe liefde gevonden …

* Waarschuwing! Verzonnen woord.

** Waarschuwing! Nog een verzonnen woord.

Raj!

De krantenverkoper had ongetwijfeld een prijs kunnen winnen als meest belachelijk geklede persoon. Ooit. Winnie had hem voor hun bijzondere dag uitgedost met een felpaarse hoge hoed en een zwaluwstaart. Raj was gekleed als een komische pinguïn op een goedkope wenskaart.

Alfie had hen samengebracht. Hij had zijn nieuwe mama

vaak gevraagd om even te stoppen bij het winkeltje van Raj als hij van school kwam. Tussen de talrijke buitengewone aanbiedingen en snoepjes met verstreken houdbaarheidsdatum waren ze verliefd geworden.

Ze waren allebei jarenlang alleen geweest. En ze hadden allebei geen kinderen. Ze verlangden daar wel naar, maar ze hadden gedacht dat het er nooit van zou komen. Gelukkig hadden ze zich erg vergist. Nu zouden ze een hecht gezin krijgen. En Alfie zou daar het middelpunt van zijn.

'Wil je met deze man trouwen, Winnie Prophecy Mystelle Passievrucht Turquoise Dave Smith?' vroeg de dominee. Terwijl hij Winnies voornamen las, vroeg hij zich bezorgd af of er wel ooit een eind zou komen aan de reeks.

'Ja,' bulderde de bruid.

'En jij, Raj ...' De dominee zweeg verbaasd. De krantenverkoper had toch wel een familienaam?

'Nee, dominee, ik heet gewoon Raj ...' zei de bruidegom opgewekt.

'Wil jij, Raj, met deze vrouw trouwen?' zei de dominee.

'Is het nu dat ik ja moet zeggen?' vroeg Raj.

Winnie rolde met haar ogen. 'Ja!' blafte ze hem toe.

Raj keek vol liefde naar zijn mooie bruid. 'Ja,' zei hij toen.

'Dan verklaar ik jullie nu man en vrouw,' besloot de dominee. 'Je mag de bruid kussen.'

De ongewone tortelduifjes kusten elkaar.

Toen ze daar eindelijk mee ophielden, zat er heel wat van Winnies mandarijnkleurige lippenstift om Rajs mond. Alsof hij gretig op een van zijn ijslolly's gezogen had.

Het pasgetrouwde paar draaide zich toen om naar de menigte en die applaudisseerde uitbundig.

Alfie klapte het hardst van allemaal. Nu kon hij zo veel snoepjes krijgen als hij maar wilde. Nou ja, toch heel veel waarvan de houdbaarheidsdatum verstreken was.

Buiten, voor de kerk, werd confetti gegooid en werden er foto's genomen.

Nu moest Winnie haar bruidsboeket nog over haar schouder gooien. Volgens de volksoverlevering was de vrouw die dat opving de volgende die zou trouwen. Juffrouw Haas, mevrouw Morrissey en alle andere ongetrouwde dames van de stad stonden klaar achter Winnie. Ze zwierde haar boeket hoog in de lucht en ... Zonder dat het meisje ook maar verroerde om het op te vangen viel het recht in de handen van Gabz. Ze voelde zich ineens een stuk groter. Ze lachte en glimlachte naar haar vriendje.

Alfie glimlachte terug. Wie weet, dacht hij. Later misschien ...

Toen vertrokken de bruid en de bruidegom al snel op hu-

welijksreis. Winnie ging schrijlings op haar brommer zitten. Achteraan hing er een bordje met *Pas getrouwd* erop en aan een touw een hele reeks lege blikjes. Dat was gebruikelijk voor het voertuig van het bruidspaar.

'Kom op, echtgenoot!' koerde Winnie.

Raj nam een aanloop en sprong achter op de brommer. 'Kom op, Alfred!' riep hij.

'Ja, kom op, pup!' riep Winnie.

Alfie kroop tussen hen en ze reden weg. De motor van het brommertje had het moeilijk met hun gewicht.

'Hou je vast!' zei Winnie. Ze maakte een wheelie voor de menigte en iedereen applaudisseerde opgetogen. Toen kwam het voorwiel weer neer en de brommer zoefde weg.

Alfie glimlachte. Hij zat tussen Winnie en Raj geklemd en voelde de warme zomerwind op zijn gezicht. Toen zijn vader gestorven was, had hij gedacht dat hij nooit meer een kans zou krijgen om gelukkig te zijn. Maar nu ze door de stad snorden en de grote weg op, deed hij zijn ogen dicht. Hij wilde dat goede gevoel vasthouden. Het gevoel gelukkig te zijn.

In zijn hoofd hoorde hij paps stem. 'Je hoeft alleen maar je ogen te sluiten en te geloven …'